afgeschreven

Omslagontwerp:	Erik de Bruin, www.varwigdesign.com Hengelo
Lay-out:	Christine Bruggink, www.varwigdesign.com
Druk:	Koninklijke Wöhrmann Zutphen

ISBN 978-90-8660-017-5

© 2007 Uitgeverij Ellessy
Postbus 30227
6803 AE Arnhem
www.ellessycrime.nl

FATALE ZOEKTOCHT

Misdaadroman

GERARD NANNE

ELLESSY
CRIME

Proloog

25 februari 1945
Uit de donkere lucht viel onophoudelijk de sneeuw. Eenmaal neergedaald veranderden de kristallen vlokken in een waterig vocht. Ik rilde. Buiten was het koud, maar diep van binnen voelde ik de warmte van Ernst nog in mij.
'Je moet me naar huis brengen', zei ik zacht. 'Het is al laat.'
Hij knikte glimlachend en trok me naar zich toe. 'Dit is de laatste keer dat ik je laat gaan', fluisterde hij.
Hij knoopte mijn jas dicht. Ik hield mijn adem in. Het liefst had ik de revers van zijn gehate uniform vastgepakt om het van zijn lijf te scheuren. Om alles nog een keer te beleven. "De laatste keer dat hij me laat gaan." Hoe waar mocht dat zijn? Het zuiden was al vrij. De euforie van een naderende bevrijding hing in de lucht. Je merkte het aan alles.
Ernst maakte de laatste knoop van mijn jas dicht en trok mijn kraag omhoog.
'Laat mij eerst maar uitstappen', zei hij. 'De weg is spiegelglad.' Hij sprong behendig uit de legertruck en spreidde zijn armen. 'Kom', zei hij breed lachend.
Ik hield van die lach. Spontaan, ontwapenend, ontspannen. Alsof er geen oorlog bestond. Ik klom over de laadklep en liet me gewillig in zijn armen vallen.
'Hou me vast', zei hij.
Ik stak mijn arm in de zijne en liet me meevoeren. Bij hem voelde ik me veilig. In de duisternis van het binnenterrein zag ik het schaarse licht vanuit de barakken. Het geschreeuw, dat me in het begin van de avond zo had tegengestaan, was verstomd.
Zwijgend liepen we naar zijn jeep. Ernst stak een hand omhoog naar de wacht. De man glimlachte en schonk mij een knipoog. Ernst startte de motor. Slippend reden we de duisternis in.

'Dat was Franz.'

Ik keek hem niet-begrijpend aan. 'Franz?'

'De man die naar jou knipoogde. Hij heet Franz. Hij woont in Linz. Maar misschien kan ik beter zeggen, woonde in Linz. Zijn huis is gebombardeerd. Alles kaputt. Kinder tot.'

Het was me al eerder opgevallen dat Ernst in zijn moeder-taal verviel als hij boos werd of geëmotioneerd raakte. Ik knik-te stom. Ik wilde het niet horen. Niet nu. Niet nu ik me geluk-kig voelde.

Zonder iemand te zijn tegengekomen waren we de Bloemstraat uitgereden. Om de problemen niet op te zoeken koos Ernst voor de route door het park. Het was harder gaan sneeuwen en de wind gierde door de kierende ramen.

'Heb je het koud?'

Ik schudde mijn hoofd, maar kroop wel dichter tegen hem aan. Ergens vandaan hoorde ik een vogel krijsen. Bij de laat-ste kilometers begon dat beklemmende gevoel weer op mijn borst te drukken. Ik smeekte God de oorlog te beëindigen.

In de verte zag ik de kerktoren. Straks zouden we linksaf slaan, waarna ik bij het stadhuis uit zou stappen om de laatste vijf-honderd meter alleen naar huis te lopen. De jeep begon lang-zamer te rijden. De teller gaf nog maar twintig kilometer aan. Ik legde mijn hoofd op zijn schoot, en wenste de tijd stil te kunnen zetten. De oorlog zou niet lang meer duren, troostte ik mezelf. Dan zou alles als een boze droom zijn geweest.

Ernst remde af. De jeep stond stil. Waren we er al? Ik richtte me op uit zijn schoot. Maar dat kon helemaal niet. We waren het theehuis nog niet gepasseerd. Ik keek naar mijn geliefde. Ernst keek met een strakke blik in de spiegel en begon te vloeken. 'Raus!!', brulde hij. Zonder de motor af te zetten sprong hij naar buiten. Ik wilde hem volgen, maar bleef zitten. Een regen van schoten verlamde me. Even later trokken schreeu-wende mannen in leren jassen me uit de cabine. Sneeuwvlokken zo groot als damstenen waaiden in mijn gezicht.

Aan de overkant trapte een man een lichaam om. Ik herkende de schoppende man onmiddellijk. Er volgden twee schoten. De schutter scheen met een lantaarn naar beneden. Ik volgde zijn blik en zag een masker van bloed. Het was van Ernst. Daarna voelde ik een hand op mijn schouder. Wat er verder gebeurde drong nauwelijks tot me door. Het was half tien in de avond. Aan alles leek een einde te zijn gekomen.

1

September 2006

Marlies schrok op van een onverwacht geluid. Ze keek door het raam van de woonkeuken. Het regende en waaide hard. Het was de wind, begreep ze. Ze herkende het geluid. De harde wind trok aan de luiken van het keukenraam. Twee jaar geleden, tijdens een novemberstorm, waren de houten luiken van de muur gerukt. Sindsdien had ze de angst, dat dat weer zou gebeuren. Straks, als het minder hard regende, zou ze naar buiten gaan om te controleren of de bevestigingen nog intact waren. Ze keek op haar horloge. Bijna kwart voor zeven. Ze begreep niet waar Ilse bleef. Het was niets voor haar om, zonder te bellen, later dan gewoonlijk naar huis te komen. Ze pakte een pan met rijst van het fornuis en goot het water in de gootsteen. Tijdens het afgieten dacht ze eraan om Ilse te bellen. Ze zette de pan op het granieten werkblad en draaide de goulash lager. Daarna waste ze haar handen, droogde ze vluchtig af en liep naar de telefoon. Ze toetste Ilses nummer in en dacht er intussen aan de wijn straks uit de kelder te halen.
'Dit is de voicemail van… Hoi, met Ilse. Ik kan je even niet te woord te staan. Laat je nummer achter of spreek je boodschap in. Ik bel je zo spoedig mogelijk terug.'
Ze heeft een mooie stem, dacht Marlies. Vrouwelijk. Zelfverzekerd. Dat heeft ze van Robert. Die had ook zo'n krachtige, zelfverzekerde stem. Net als Tom, Roberts vader. Het waren stemmen die je onmogelijk kon negeren. Of je wilde of niet. Ze verbrak de verbinding en roerde de goulash. Als ze er over vijf minuten nog niet was, moest ze alvast maar gaan eten. Na drie minuten drukte ze de herhaaltoets in. Nog steeds de voicemail. Ze besloot Tom te bellen. Het gebeurde wel meer dat Ilse vanuit de manege nog even bij haar opa langsging. Misschien was ze daar blijven hangen. Dat deed ze de laatste

tijd wel vaker. Of wilde ze wachten tot het droog zou worden? Maar waarom belde ze dan niet?

Terwijl Marlies oplettend uit het raam bleef kijken, wachtte ze op het moment dat Tom de telefoon op zou nemen. Maar er gebeurde niets. Het bleef stil. Ze begreep niet waar Tom zou kunnen zijn. Hij was 's avonds altijd thuis.

Het regende nog steeds hard, maar de wind was afgenomen. Het begon al te schemeren. Over een halfuur zou het donker zijn. Het achterlicht van Ilses fiets was al maanden stuk. Het zou onverantwoord zijn om zonder achterlicht langs de bosweg te rijden.

Ze schrok van de gedachte dat ze aangereden zou kunnen zijn. Dat ze zou zijn geschept door een auto en nu ergens langs de kant van de weg lag te vechten voor haar leven. Verdomme Tom, waarom neem je niet op?

Marlies merkte hoe de onrust haar hoofd inkroop. Na twee keer de herhaaltoets te hebben ingedrukt, gaf ze het op. Ze keek op de klok aan de wand. Het was bijna acht uur. Gingen oude mensen zo vroeg al naar bed?

Voor ze naar de kelder zou gaan om de wijn te halen besloot ze de manege te bellen. Tegelijkertijd vroeg ze zich af waarom ze dat niet als eerste had gedaan. Misschien was er iets met Daska gebeurd. Misschien was het paard ziek geworden. Voor de merrie vergat Ilse de wereld om haar heen.

Ze schrok van de harde mannenstem aan de andere kant van de lijn. De man, die zich had voorgesteld als Langendijk, zei zonder haar boodschap af te wachten, dat de manege vanavond was gesloten. Dat de dressuur was verschoven naar de zaterdagochtend.

'Ik wilde vragen of mijn dochter nog bij de manege is. Ze is…..'

'De manege is gesloten', onderbrak hij haar. 'Er is hier niemand meer. Ik controleer de stallen. De dressuur is vanaf vijf september verschoven naar de zaterdagochtend. In verband met het licht.'

De toon van de man irriteerde haar. 'Dat is me wel duidelijk,' zei ze, 'maar ik wilde u alleen vragen of mijn dochter nog op de manege is. Ze is nog niet thuisgekomen en....'

'Ik kan u verzekeren dat hier niemand meer is. Hoe heet uw dochter?'

'Ilse.'

'Ilse van Dronkenoord?'

Marlies hoorde dat de man haar naam met ontzag uitsprak. Alsof hij haar persoonlijk bewonderde.

'Dat klopt, ja', antwoordde ze. 'Ze zou een uur geleden al thuis moeten zijn gekomen. Ik begin me ongerust te maken.'

Het bleef stil aan de ander kant van de lijn. Zocht de man naar woorden om haar onrust weg te nemen? In gedachten hoorde ze het hem al zeggen: "Maakt u zich maar geen zorgen, mevrouw. Uw dochter komt heus wel terecht. Als u eens wist......"

'Dat is merkwaardig', onderbrak Langendijk haar gedachten. 'Ik heb haar vijf kwartier geleden op de fiets zien vertrekken. Ze zwaaide me nog gedag.'

De beheerder, besefte Marlies ineens. Ilse had het vaak over hem. Hij was met haar meegegaan toen ze Daska wilde kopen. De man wist veel van paarden. "Daska is voor jou gemaakt", had hij haar verzekerd. "Jullie vormen een ideaal koppel."

'Dan zou ze dus al een uur binnen moeten zijn', vervolgde hij. Marlies voelde een schok. De toon waarop de man dit vaststelde was duidelijk. Hij vertrouwde het niet.

'Vertrok Ilse alleen?'

'Uw dochter verlaat altijd als laatste van haar groep "De Buiten-hof". Ze neemt er de tijd voor om Daska verzorgd achter te laten. Daar kunnen de anderen nog wat van leren.'

Had ze het goed verstaan? Was er iets van verwijt te horen geweest? Verweet de man haar dat de gewoonte van Ilse haar paard goed te verzorgen bij haar niet bekend was?

'Wat vindt u? Moet ik de politie bellen?'

Ze hoorde hem zuchten.. Langendijk vond haar vraag dom en overbodig. Natuurlijk moest ze de politie bellen. Dat had ze allang moeten doen.

'Ik ga nu afsluiten', zei hij. 'Daarna fiets ik de route die Ilse naar huis moet afleggen. Ondertussen belt u de politie.'
Ergens op de achtergrond begon een paard onrustig te hinni-ken. Daarna werd de verbinding verbroken. Marlies staarde naar de telefoon. Was dat Ilses paard geweest? Deelde de mer-rie haar onrust? Plotseling merkte ze dat ze rilde.

2

Het was precies kwart voor negen toen inspecteur Frank Benders gestoord werd door de ringtone van zijn mobiele telefoon. *Heb je even voor mij*. Het was een oude hit van volkszanger Frans Bauer, die zijn dochter ooit voor hem had ingesteld, maar waar hij zich nu mateloos aan ergerde. Binnenkort moest hij Femke eens vragen iets anders te bedenken. Iets dat een oude politieman niet de stuipen op het lijf joeg als hij in alle rust onderuitgezakt zijn geliefde tijdschrift over autosport zat te lezen.
'Benders!'
'Kan dat niet wat vriendelijker?'
Benders ging onmiddellijk rechtop zitten. 'Nikka! Ben jij het?'
'Ik ben blij te horen dat ik mensen nog kan verrassen.'
'Bel je voor iets bijzonders?'
'Er is een melding binnen over een ernstig misdrijf.'
Op de achtergrond klonken meerdere stemmen. Hij hoorde hoe de commissaris tegen iemand anders sprak, maar kon niet verstaan wat ze zei.
'Sorry,' excuseerde Nikka zich, 'daar ben ik weer. Ik wil dat je zo snel mogelijk hierheen komt.'
'Maar wat is er precies gebeurd?'
'Ik sprak Westphal zo-even', antwoordde Nikka. 'Er is een jonge vrouw dood aangetroffen. Ze is met geweld om het leven gebracht.'
'Moord dus.'
'Ja.'
Benders hoorde haar teleurstelling.
'Is er al bekend wie het slachtoffer is?'
'Ja. Het meisje is zeventien jaar en heet Van Dronkenoord. Ze is gevonden door een man van de manege uit het dorp. Hij trof haar aan op nog geen tweehonderd meter van haar woning. Haar moeder had twintig minuten daarvoor naar het bureau

gebeld om te melden dat haar dochter nog niet was teruggekeerd van "De Buitenhof".'

'"De Buitenhof"?'

'Zo heet de manege waar het meisje vandaan kwam.'

'Waar moet ik zijn?'

'Wacht even.'

Benders hoorde de commissaris op de achtergrond informeren. Hij vroeg zich af waarvandaan ze hem belde. Dit was voor
haar geen tijd om op het bureau te zijn.

'In Westerhout', antwoordde Nikka. 'Meld je maar op de
Vierhoutenweg 70. Het is een grote woonboerderij met rood-
witte luiken voor de ramen. Je kunt het beste via de dijk komen.
Ze zijn op de provinciale weg met wegwerkzaamheden bezig.
Het verkeer wordt daar omgeleid via Drechteland, maar dat is
een eind omrijden.'

'Bel je vanuit het bureau?'

'Ja. Ik was daar toevallig om wat rapporten op te halen, die ik
deze avond door wilde nemen. Ik ga nu zelf ook naar de plaats
van het misdrijf. Ik zie je zo.'

Ze verbrak de verbinding. Benders had haar nog willen zeggen dat het nergens voor nodig was om naar de plaats delict
te gaan. Nikka kon haar tijd wel beter gebruiken. Maar hij
wist ook dat dat zinloos zou zijn. De commissaris zou zijn
raad in de wind slaan.

Hij keek zuchtend naar buiten.Het was aardedonker en het regende. Hij zou willen dat hij deze avond geen politieman was.

*

In de keuken zat een vrouw aan een tafel onophoudelijk te huilen. Benders had zich aan haar voorgesteld, maar ze toonde
geen enkele reactie.

'Is er al een arts langsgeweest?'

Nikka knikte. 'Haar huisarts is vijf minuten geleden vertrokken. Ze heeft een kalmerend middel gehad. In de loop van de avond zou hij nog een keer langskomen. Hij is nu naar haar zus om te vertellen wat er is gebeurd en om te vragen de nacht bij haar te blijven.'

Nikka sprak zacht. Eerbiedig bijna. Maar Benders hoorde ook de ingehouden woede over het gebeurde.

'Is er een vader?'

Nikka schudde haar hoofd. 'De vader van het meisje is twee jaar geleden gestorven aan een hartaanval.'

Benders keek naar de vrouw aan de keukentafel. Twee jaar geleden verloor ze haar man. Twee uur geleden haar dochter. Hoeveel kon een mens dragen? Haar dochter was vermoord. Gewurgd. Het beeld dat hij enkele minuten geleden in het twee-honderd meter verder gelegen bos aantrof, doemde weer voor hem op. De ogen van het meisje waren gesloten. Het was alsof ze sliep. Haar lichaam was nog warm. Westphal vermoedde dat haar rechterbeen was gebroken en ze had schaafwonden op haar gezicht. Verder waren er de blauwe striemen in haar hals die duidden op verwurging. De schouwarts had gezegd dat hij geen reden had om aan te nemen dat het meisje zou zijn misbruikt, maar sectie zou nog uit moeten wijzen hoe waar dat was.

'Waar denk je aan?', vroeg Nikka.

Benders schrok op uit zijn gedachten. 'Waar zou ik aan den-ken?'

'Dokter Westphal raadde mij aan om niet te gaan kijken.'

Benders keek de commissaris aan. 'Je had zijn advies op moe-ten volgen', zei hij. 'Het heeft voor jou geen enkel nut om hier aanwezig te zijn.'

'Maar ik wil weten wat er speelt. Voelen waarmee jullie bezig zijn. Jullie leren begrijpen.'

Benders schudde zijn hoofd. 'Zo werkt het niet', zei hij. ' Jij bent aangesteld om orde te houden in de chaos waarin wij terecht-komen. Houd afstand. Jij hebt genoeg aan je hoofd.'

Ze zwegen. De vrouw aan de keukentafel huilde nog steeds. Benders vroeg zich af hoelang een mens in staat was onafgebroken te huilen. Zijn voornemen haar te verhoren liet hij varen. 'Was het hun enige dochter?', vroeg Benders op fluistertoon. 'Ja', antwoordde Nikka. 'Ilse was hun enig kind.' Benders knikte en hoorde tegelijkertijd de bel. 'Dat zal de huisarts zijn', zei Nikka. Ze liep onmiddellijk naar de voordeur.

Benders keek weer naar de vrouw aan de keukentafel. Het huilen leek gestopt. Ze had haar hoofd opgericht. Voor het eerst zag hij haar gezicht. Haar roodbehuilde ogen keken richting deur. Alsof ze op een wonder wachtte.

De bezoeker, die zich had voorgesteld als dokter Van der Mey, vertelde hen dat hij de zus van Marlies van Dronkenoord niet had kunnen bereiken. De arts stelde voor om de vrouw een slaapmiddel te geven, zodat ze in ieder geval de nacht door zou komen.

'Alles goed en wel,' zei Nikka beslist, 'maar we kunnen haar onmogelijk alleen laten. Is er niemand anders die vannacht bij haar kan blijven. Familie, vrienden, buren wellicht?'

De dokter maakte een hulpeloos gebaar met zijn schouders. 'Dat weet ik niet', zei hij. 'Voor zover mij bekend, heeft ze hier verder geen familie wonen. Behalve de opa van het meisje dan, maar de man is zevenentachtig. Ik denk niet dat het verstandig is om hem op dit tijdstip hiermee te belasten.'

Benders keek naar Nikka. 'Is deze man al ingelicht?', vroeg hij.

Nikka schudde haar hoofd en keek tegelijkertijd op haar horloge. 'Nog niet', antwoordde ze. 'Maar de dokter heeft gelijk. Het is al laat. Gezien zijn hoge leeftijd lijkt het mij ook verstandiger om dat morgenochtend vroeg te doen.'

Benders knikte en keek naar de vrouw aan de keukentafel. Ze huilde weer. Pogingen om, zowel door Nikka als door hem zelf, contact met haar te maken waren gestrand. Marlies leek een shock te hebben. Nikka had het goed gezien. Ze kon onmogelijk alleen blijven.

'Ik blijf vannacht bij haar', zei hij. 'We kunnen deze vrouw niet aan haar lot overlaten.'

*

Benders luisterde of er geluiden van boven kwamen die erop konden duiden dat de vrouw uit haar slaap was ontwaakt. Maar er was niets te horen. Het middel, dat de arts haar een uur geleden had toegediend, was blijkbaar een paardenmiddel.

Hij keek door het keukenraam naar buiten. Het was donker. De wind was gaan liggen, maar het was harder gaan regenen. Hij dacht terug aan het telefoongesprek dat hij een kwartier geleden met Paula had gevoerd. Paula was gedurende enkele jaren zijn vaste assistente geweest, tot Nikka hem een halfjaar geleden van haar had losgekoppeld. De commissaris vond dat het voor de ontwikkeling van Paula beter was als ze zelfstandig ging rechercheren. Ze zei dat zij niet eeuwig zijn assistente kon blijven. Hij was daar niet gelukkig mee, maar tijdens het telefoongesprek had hij ontdekt dat Nikka een juist besluit had genomen. Paula was gegroeid.

Ze had hem door de telefoon de band laten horen met daarop het verhoor van de man van de manege. Het was een goed verhoor. Ze had de man meerdere keren uit laten leggen hoe hij de plek, waar hij het meisje ontdekte, zo snel had weten te vinden.

Zijn antwoorden op de vragen die Paula stelde, lieten nauwelijks ruimte voor twijfel. De beheerder was onmiddellijk na het telefoontje van Ilses moeder op zijn fiets gestapt om het meisje te zoeken. Op ongeveer tweehonderd meter afstand van het ouderlijk huis had hij haar fiets aangetroffen. Die lag even achter de bosrand. Normaal gesproken zou het rijwiel hem niet zijn opgevallen, maar doordat een vaag geluid vanuit het bos zijn aandacht had getrokken, besloot hij op onderzoek uit te gaan. Na enkele meters had hij de fiets ontdekt en onmiddellijk begrepen dat er iets niet klopte. Het stuur stond gedraaid en enkele spaken van het voorwiel waren losgeraakt. Langendijk zei hierover: "Op dat moment besefte ik dat er iets gebeurd moest zijn met Ilse."

Benders had Paula gevraagd bij deze zin de band terug te draaien, om hem nogmaals te kunnen beluisteren. Het viel hem op dat de beheerder de naam van het meisje met iets van eerbied uitsprak. Langendijk sprak hard, maar toonloos. Hij moest bij de stem denken aan een legerofficier. *To the point*, zonder omwegen, zonder gevoel. Maar bij het noemen van de naam van het meisje veranderde dat, alsof hij plotseling uit zijn rol viel. Alsof zijn harde, gevoelloze stem niet voor Ilse was bestemd.

Uit het verhoor was niets verdachts naar voren gekomen . Het tijdstip waarop Langendijk verklaarde van de manege te zijn vertrokken om het meisje te zoeken, kwam overeen met de tijd waarop het telefoongesprek tussen hem en mevrouw van Dronkenoord had plaatsgevonden.

Maar dat zei natuurlijk nog niets, besefte Benders. Het wachten was op de resultaten van het buurtonderzoek. Hoewel de route die het meisje moest afleggen niet langs een drukke weg was, verwachtte Benders toch bruikbare getuigenverklaringen binnen te krijgen. Ervaring had hem geleerd dat het juist de afgelegen gebieden waren waar kleine gebeurtenissen opvallen. Anders dan in de grote steden was het in dorpen als Westerhout, met een inwonersaantal van minder dan achtienhonderd, nauwelijks mogelijk om onzichtbaar te blijven.

Plotseling meende Benders een geluid van boven te horen. Hij liep naar de hal en bleef een ogenblik onderaan de trap staan luisteren, maar hoorde niets. Waarschijnlijk had hij het zich verbeeld of was het de harde regen geweest.

Hij liep terug naar de woonkeuken en keek om zich heen. Op

het granieten aanrecht stond een pan. Hij tilde het deksel op. Rijst. Onaangeroerd. Eerder op de avond had hij de goulash al geroken. Hij vloekte ingehouden en legde het deksel terug op de pan. Daarna liep hij naar de woonkamer. Op een piano ontdekte hij een foto van het meisje. Het viel hem op dat ze daarop ouder leek. Ouder dan zeventien jaar. Geen tiener, eerder een jonge vrouw.

Voor de zoveelste keer vroeg hij zich vertwijfeld af waarom ze was vermoord. Hoe iemand zo wreed kon zijn.

Hij pakte de foto van de piano en bestudeerde het meisje. Zijn eerste indruk werd bewaarheid. Geen kind meer. Ze had de trekken van een volwassen vrouw. Trots. Een tikje arrogant zelfs, maar dat kon ook een pose zijn. Een pose om haar onzekerheid te verbergen?

Benders wilde de foto terugzetten, maar werd verrast door een stem achter hem. 'Ze leek op haar vader.'

Geschrokken draaide hij zich om. Marlies van Dronkenoord stond in de deuropening en knikte naar de foto in zijn hand. 'Ilse leek op Robert, mijn man. Ze had niets van mij.'

Benders plaatste de foto terug op de piano en liep naar Marlies die hem verwezen aanstaarde. Ze droeg een gele kamerjas, waarvan het ceintuur strak om haar middel zat gebonden. Ze zag eruit als een geest.

Hij bleef een ogenblik zwijgend voor haar staan en zocht naar woorden om haar op haar gemak te stellen. Zoals gewoonlijk in dit soort situaties vond hij ze niet. 'Gaat u alstublieft zitten', zei hij uiteindelijk. Hij wilde een poging doen haar schouder te pakken om haar naar een stoel te begeleiden, maar ze deinsde onmiddellijk achteruit. Alsof ze bang was dat hij haar zou aanranden.

'Waarom bent u hier nog?'

'We vonden het niet verantwoord om u onder deze omstandigheden alleen te laten', antwoordde hij naar waarheid.

Ze deed wankelend weer een stap naar voren en bleef leunend

tegen de deurpost staan. Het is een godswonder dat ze niet van de trap is gelazerd, dacht Benders geschrokken.

'Tom vermoordt me', zei ze ineens. Ze maakte zich van de deurpost los en liep de kamer in.

Benders keek haar niet-begrijpend na. Hij liep achter haar aan en wachtte tot ze had plaats genomen. 'Ik zal een glas water voor u halen', zei hij. 'Als u dat hebt opgedronken kunt u het beste weer naar bed gaan.'

De huisarts had drie tabletten achtergelaten met de boodschap dat er geen bezwaar tegen was om ze desnoods alle drie in te laten nemen. Tot zijn verwondering nam ze de tabletten zonder een woord van protest in en dronk vervolgens haar glas leeg. Hij vroeg zich af wat Marlies bedoeld kon hebben met "Tom vermoordt me". Misschien had het niets te betekenen. Misschien wist ze zelf niet wat ze had gezegd. Het kon zijn dat ze zojuist was ontwaakt uit een nachtmerrie. Misschien had de moord op haar dochter doorgewerkt in haar slaap.

Nadat ze weer naar boven was gegaan, besloot hij er de volgende ochtend met haar over te praten.

Benders nam plaats op de bank. Hij keek op de klok aan de wand tegenover hem. Het was kwart over twaalf. Daarna deed hij zijn schoenen uit en strekte zich uit. Er zat niets anders op dan te proberen om wat te slapen. Er zou een zware tijd aanbreken. Hij moest op zoek naar iemand die een jong meisje van haar fiets had afgesleurd, haar vervolgens het bos had ingetrokken en gewurgd.

Benders werd ineens overvallen door een onbestemd gevoel. Alsof er iets niet klopte. Alsof het beeld dat hij een paar uur geleden had gezien niet overeenkwam met de werkelijkheid. Maar op de vraag waarom hij dat gevoel had vond hij geen antwoord. Nog niet tenminste.

3

Benders werd wakker van een geluid dat hij niet kon duiden. Hij stond op van de bank en merkte op dat de klok aan de wand tegenover hem stilstond. Hij keek op zijn horloge. Het was half vijf. Buiten hoorde hij de slagregen en de wind, die opnieuw was aangewakkerd. Het geluid dat hem uit zijn slaap had gehaald, kwam vanuit de westkant. Het leek op het klapperen van een deur of raam. Hij besloot op onderzoek uit te gaan en trok zijn jas en schoenen aan.

Nadat hij in de hal zijn jas had dichtgeknoopt, bleef hij een ogenblik onderaan de trap staan luisteren. Boven was alles nog steeds stil. Het geluid had mevrouw van Dronkenoord goddank niet wakker gemaakt.

Bij het openen van de buitendeur viel het hem op dat het buitenlicht nog brandde. De lamp flikkerde. Hij wist niet meer of dat de avond tevoren ook het geval was geweest. Misschien wel, maar hij kon het zich niet herinneren. Hij kon zich *überhaupt* niet herinneren of het buitenlicht had gebrand.

Eenmaal buiten sloeg de regen in zijn gezicht. In zijn ronde om het huis ontdekte hij al snel wat de oorzaak van het geluid was: de luiken van het keukenraam. Vermoedelijk was de bevestiging aan de gevel losgeraakt. Gerustgesteld keerde hij terug. Terwijl de wind in zijn rug duwde, bedacht hij dat de rammelende luiken Marlies ook uit haar slaap zouden kunnen houden. Ze sliep immers voor en het geluid was heel doordringend. Hij sloot de voordeur weer zachtjes achter zich en bleef andermaal onder aan de trap staan luisteren. Het bleef stil.

Het was tien minuten over half vijf. Misschien moest hij proberen weer wat te slapen. Hij hing zijn jas terug aan de kapstok en liep de kamer in. Terwijl hij op de stoel zat om zijn schoenen uit te trekken, zag hij door het bovenlicht van het binnendeurkozijn weer het flikkerende licht van de buitenlamp.

Hij bleef een ogenblik vertwijfeld naar de lamp staren. Toen stond hij met een ruk op en spoedde zich naar de hal. Hij vloekte. Noemde zichzelf een rund en stoof met twee treden tegelijk de trap op.

De deur van de slaapkamer van Marlies stond op een kier. Met zijn voet duwde hij hem verder open. Wat hij vreesde, bleek waar. Ze was weg. Het bed was onbeslapen. Ze had het pand verlaten. Hij had laten gebeuren dat ze in overspannen toestand de straat was opgegaan en smeekte God dat haar niets zou overkomen.

Hij probeerde na te denken over waar ze naartoe zou kunnen zijn gegaan. Volgens de huisarts had ze, anders dan haar zus, geen verdere familie in de buurt wonen. Hij vloekte andermaal. Tegen beter weten in doorzocht hij het pand. Niets. Uiteindelijk belde hij de commissaris.

Nikka zegde hem toe zo snel mogelijk een aantal mensen op te trommelen om een zoektocht te starten. 'Je hoeft jezelf niets te verwijten', zei ze nadrukkelijk. 'Ik had er zelf ook geen rekening mee gehouden dat ze weg zou kunnen lopen. Waarom zou ze ook? Laten we maar hopen dat het allemaal met een sisser afloopt.'

'Ik verwijt het me natuurlijk wel', zei Benders. 'Ik ben verantwoordelijk. Dat wij om elkaar geven, wil niet zeggen dat je mij in bescherming moet nemen.'

'Dat doe ik ook niet. Klootzak!' Nikka verbrak de verbinding. Buiten sloeg de regen ongekend fel tegen de ruiten. De luiken van het keukenraam beukten tegen de gevel. Benders zuchtte. Hij liep naar de hal om zijn jas aan te trekken.

Toen hij de deur uitstapte om zijn zoektocht te starten zag hij haar staan. Ze was doorweekt.

Met lege ogen staarde ze hem aan. 'Tom deed niet open', zei ze zacht. 'Ik heb vijf keer gebeld. Maar hij deed niet open.'

.

Nadat Benders Marlies had gezegd, dat ze maar beter naar boven kon gaan om een warme douche te nemen, belde hij Nikka om haar te laten weten de zoektocht af te blazen. Het viel hem op dat ze lauw op zijn boodschap reageerde, alsof de mededeling haar teleurstelde.

'Is er iets?', kon hij niet nalaten te vragen.

'Wat zou er moeten zijn?'

'Dat weet ik niet. Je klinkt zo tam.'

'Er is niets. Ik voel me moe, dat is alles.' Ze verbrak de verbinding.

Benders had haar nog willen zeggen dat ze binnen het korps misschien beter open kaart konden spelen. Dat al dat stiekeme gedoe over hun vriendschap hun vroeg of laat toch zou opbreken.

Zijn gedachten werden onderbroken door geluiden die erop wezen dat mevrouw Van Dronkenoord naar beneden kwam. Hij bereidde zich voor op een confrontatie met de vrouw die gisteren haar dochter had verloren, midden in de nacht het huis had verlaten en tot twee keer toe op een raadselachtige manier over "Tom" had gesproken. Hij was nieuwsgierig geworden naar de verklaring die ze zou gaan afleggen.

'Ik ga thee zetten. Wilt u ook?'

Benders schudde zijn hoofd. 'Nee dank u.'

Ze droeg dezelfde kanariegele kamerjas als gisteren. Maar in tegenstelling tot zeven uur eerder oogde Marlies nu een stuk beter. Ze leek de ergste crisis achter de rug te hebben, hoewel haar ogen nog wel de sporen van verdriet verraadden.

'Het spijt me als ik u ongerust heb gemaakt', zei ze, nadat ze tegenover hem was gaan zitten. 'Ik was wakker geworden uit een akelige droom en vond daarna geen rust meer in mijn bed.'

Benders knikte. 'Toen besloot u maar om een stukje te gaan wandelen?'

Ze schudde haar hoofd. 'Zo was het niet', zei ze. Ze dronk van haar thee en keek Benders nadenkend aan. Alsof ze overwoog hem te vertellen hoe het dan wel was. 'Ik ving gisteren uit jullie gesprek op dat Tom nog niet op de hoogte was gesteld van het gebeurde', vervolgde ze. 'Het idee dat hij van jullie zou moeten horen dat zijn kleindochter is vermoord, bezorgde mij een rot gevoel. Ik zag het als mijn plicht hem dat zelf te vertellen. Maar na vijf keer bij hem aangebeld te hebben, gaf ik het op.'

'Tom is Ilses opa?', vroeg Benders verbaasd.

'Ja', antwoordde Marlies. 'Waarom doet u daar zo verbaasd over?'

'Ik heb u de naam Tom gisteravond horen noemen als van de man die u zou gaan vermoorden.'

Er volgde een kort hysterisch lachje. 'Heb ik dat werkelijk gezegd?'

Benders knikte. '"Tom vermoordt me", dat zei u letterlijk.'

Ze schudde haar hoofd. 'Zo heb ik dat natuurlijk nooit bedoeld', zei ze. 'Tom is mijn schoonvader, de vader van Robert, mijn overleden man. Robert was zijn enige zoon. Hij heeft lang moeten wachten op zijn kleinkind. Robert en ik besloten vrij laat tot een kind. Ik was negenendertig toen Ilse kwam. Tom was stapelgek op haar en dat was wederzijds. Dat ze nu is vermoord, zal hem diep raken. Om eerlijk te zijn zie ik er tegenop om het hem te vertellen. Hij heeft een nogal opvliegend karakter en zal al zijn woede en frustratie op mij af reageren. Misschien heb ik dat bedoeld met "hij vermoordt me".'

'Zou u willen dat ik met u meega om het hem te vertellen?'

'Misschien is dat wel een goed idee', zei ze aarzelend. 'Maar verwacht niet dat uw aanwezigheid mijn schoonvader zal beletten zijn woede op mij te uiten.'

Benders wachtte beneden. Ze zouden met z'n tweeën rond half negen naar Ilses opa gaan.

Het was nu vijf minuten over. Hij begreep niet waarom het

aankleden zo lang moest duren. Hij wachtte al een uur. Of zag Marlies er zo tegenop om voor de tweede keer naar het huis van haar schoonvader te gaan? Misschien moest hij naar boven gaan om haar moed in te spreken.

Hij liep naar de hal en bleef een ogenblik aarzelend onder aan de trap staan. Boven hoorde hij water lopen. Waarschijnlijk was ze nog in de badkamer. Hij besloot nog even te wachten. Buiten zag hij dat het droog was geworden. Hij dacht eraan hoe Marlies 's nachts als een verzopen kat tegenover hem had gestaan. Het was natuurlijk een onzinnig besluit van haar geweest om midden in de nacht een bezoek aan haar schoonvader te brengen. Misschien was het goed geweest dat ze hem niet uit zijn bed had kunnen bellen.

Boven hoorde hij een deur dichtslaan. Het water liep niet meer. Een ogenblik later verscheen Marlies boven aan de trap. Ze was nog steeds niet aangekleed en zag krijtwit. 'Ik kan het niet', zei ze. 'Gaat u alstublieft alleen. Ik kan het werkelijk niet.'

Benders wilde naar boven lopen, maar werd gehinderd door het zoemen van zijn telefoon. Zonder zijn ogen van haar af te houden bracht hij de verbinding tot stand. Het was Nikka. Ze vertelde hem dat ze die morgen om half negen Paula en Tjeerd de opdracht had gegeven naar het huis van Van Dronkenoord te gaan.

Benders dacht er onmiddellijk aan dat hij had verzuimd om de commissaris te vertellen dat hij er deze morgen samen met Marlies heen zou gaan.

'Tjeerd belde mij twee minuten geleden op', vervolgde Nikka. 'Na herhaaldelijk bellen werd er niet opengedaan door de bewoner. Ze zijn toen op onderzoek uitgegaan en ontdekten dat de ruit van de achterdeur was ingeslagen. Ze troffen Van Dronkenoord dood aan in de keuken. Hij is vermoord. Volgens de eerste waarneming zou hij meerdere keren in zijn gezicht zijn geschoten.'

Benders hapte naar adem. Het duizelde hem. Meerdere gedachten flitsten door zijn hoofd.
'Ben je daar nog, Frank?'
'Ja. Het is vreselijk allemaal. Ik kom zo snel mogelijk.'
'Kan zij er iets mee te maken hebben?'
Benders keek naar boven. Marlies was inmiddels op de trap gaan zitten. Haar gezicht had weer wat kleur gekregen. 'Dat weet ik niet,' antwoordde hij, 'maar we moeten er natuurlijk wel rekening mee houden.' Daarna verbrak hij de verbinding.

4

John keek door het kierende gordijn. Het was nog vroeg. De zon was nog niet op. Hij besloot zijn bed uit te gaan. Het regende. Behalve de regen hoorde hij niets. Het was stil. Stil en donker.

Kwam de zon maar op, dacht hij. Werd het maar licht. Deze nacht was een hel geweest. Hij had slecht geslapen. De whisky had hem geen uitkomst geboden. Nu had hij een kater. Hij moest maar niet meer drinken. Drank loste niets op. Het was beter er niet meer aan te denken. Hij herinnerde zich de woorden van zijn moeder: "Wat gebeurd is, is gebeurd."

Tijdens het wassen van zijn gezicht dacht hij weer aan haar. Hij had haar nog juist op tijd gevonden. Ze was nog redelijk goed. Goed genoeg om hem haar schokkende geschiedenis te vertellen. Ze had hem vlak na de oorlog gekregen, maar had hem moeten afstaan. Hoe graag ze hem ook had gehouden, ze was niet in staat geweest om voor hem te kunnen zorgen.

Zijn vader was een Duitse soldaat. Uit haar schrijven begreep hij onmiddellijk hoeveel ze om hem moet hebben gegeven. Hij heette Ernst. Ernst Dittrich. Het stond allemaal in haar dagboek. Hij was van die naam gaan houden. Meer dan hij ooit had gehouden van de naam die hem ten onrechte was gegeven. Later zou hij een naamsverandering aanvragen. Hij zou dan ook *Dittrich* gaan heten. Maar nu nog niet. Dat zou onverstandig zijn. Eerst moet alles in de vergetelheid zijn geraakt. Hij droogde zijn gezicht af en liep terug naar de kamer. Om de stilte te verbreken zette hij de radio aan. In een reclameboodschap werden luisteraars attent gemaakt op een goedkope internetaanbieding. Alles bleef bij het oude, dacht hij. Alsof er niets was gebeurd. Straks zou hij zijn dagelijkse leven weer hervatten. De mensen die hem kenden, zouden geen idee hebben. Voor hen zou hij nog steeds dezelfde zijn.

Hij zette koffie en schoof het gordijn open. Het regende niet meer, maar de weg was nog nat. Het was dankzij de regen dat hij het meisje nog in had kunnen halen. Door het natte wegdek raakte ze met haar fiets in een slip, waardoor ze viel. Ze zou hem anders zeker zijn ontsnapt. Aan de gevolgen daarvan dacht hij liever niet. Dat hoefde ook niet. Hij was nu immers veilig.

5

Dokter Westphal was zeer stellig in zijn verklaring dat de zeven-
entachtigjarige Tom van Dronkenoord veel langer dan zes uur
geleden was gestorven. 'Ik houd het op minimaal tien uur',
zei hij tegen Benders en Kootstra. 'Eerder langer dan korter.'
'Dus kan dat betekenen dat hij rond dezelfde tijd als zijn kleindochter is vermoord?'
Benders keek opzij. Hij had niet gemerkt dat Paula zich bij
hen in de keuken had gevoegd. Haar opmerking zorgde voor
een ogenblik stilte. Paula had gelijk. "Eerder langer dan tien
uur", had de schouwarts gezegd.
'Dus lijkt het overduidelijk dat er een verband tussen de twee
moorden bestaat', verbrak Tjeerd Kootstra de stilte.
Benders knikte naar de jonge rechercheur. Hij had die conclusie zelf ook getrokken en probeerde erachter te komen wat dat
kon betekenen. De woning van Tom van Dronkenoord lag op
ongeveer vijfhonderd meter afstand van het ouderlijk huis van
het vermoorde meisje. De eerste gedachte die bij Benders opkwam
was dat de kleindochter vanuit de manege bij haar opa wilde
langsgaan en daar de moordenaar van haar grootvader had betrapt.
Dat ze stomweg op het verkeerde moment op de verkeerde
plek was geweest en daardoor voor de moordenaar een fatale
getuige was. Hij moest haar op haar vlucht zijn gevolgd, van
haar fiets hebben gesleurd en gewurgd.
'Het meisje was dus op het verkeerde moment op de verkeerde plaats?', onderbrak Paula zijn gedachten.
Benders staarde haar verbluft aan. Blijkbaar had hun jarenlange samenwerking ertoe geleid dat ze elkaars gedachten konden lezen. 'Ik dacht zelf ook aan die mogelijkheid', bekende
hij. 'Maar laten we niet te vroeg onze conclusies trekken.'
'Waarom het meisje wurgen als de moordenaar over een wapen
beschikte?', vroeg Tjeerd zich hardop af.

'Dat ligt inderdaad niet voor de hand', beaamde Benders. 'Maar nogmaals, laten we niet te snel oordelen.'

Hij stapte over het dode lichaam van Van Dronkenoord heen en verliet de keuken. Vervolgens voegde hij zich bij Teulings in de woonkamer.

'Is jou nog iets bijzonders opgevallen?', vroeg hij de technisch rechercheur.

'Als je bedoelt dat ik sporen heb gevonden die je rechtstreeks naar de moordenaar leiden, moet ik je teleurstellen', antwoordde Teulings. 'Maar er is wel iets dat ik merkwaardig vind. Kom maar eens mee.'

Benders volgde hem nieuwsgierig naar de keuken, waar Teulings voor het dode lichaam bleef staan. 'De moordenaar heeft het slachtoffer eerst van achter neergeschoten door middel van een nekschot', begon Teulings. 'Ik heb daar met Westphal over gesproken en we kwamen beiden tot de conclusie dat dat schot hem al fataal was geworden. Maar de moordenaar vond het blijkbaar nodig om vervolgens het lichaam om te trappen.' Teulings wees hem daarbij op een donkere vlek op het witte overhemd van het slachtoffer. 'Het overhemd is op die plek licht beschadigd, wat er op duidt dat de moordenaar nogal wat kracht en energie heeft moeten gebruiken om het lichaam met zijn voet vanuit buikligging naar rugligging te draaien. Vervolgens heeft hij de man nog enkele malen gericht in het gezicht geschoten. Volkomen onnodig.'

Benders keek met afgrijzen naar het kapotgeschoten gelaat. Een uit gestold bloed vervaardigd masker, zo leek het. Hij vroeg zich af wat de moordenaar bezield kon hebben. Waarom hij het nodig had gevonden het gezicht van de man te verminken. Wilde hij meer zekerheid? Maar dan had een schot in de hartstreek hem ook gerust kunnen stellen.

Hij keek naar Teulings. 'Het is inderdaad merkwaardig', beaamde hij. 'Zojuist is er geopperd dat de moord op het meisje verband zou kunnen houden met de moord op deze bejaarde man, het zou ons welkom zijn als er sporen waren die deze theorie kunnen onderbouwen.'

Teulings knikte. 'Dat begrijp ik', zei hij. 'Ik kan er natuurlijk nog niets over zeggen, maar ik beloof je dat ik de onderzoekers van het forensisch instituut zal vragen extra alert te zijn op eventuele overeenkomsten.'

Benders keek hem dankbaar aan en verliet met gemengde gevoelens de plaats delict. Eenmaal buiten probeerde hij zich te oriënteren. Het huis van Van Dronkenoord lag op ongeveer dertig meter van een ventweg die, gescheiden door een zachte berm, grensde aan een verkeersweg. Nadat het meisje de woning van haar opa had verlaten, zou ze om de ventweg te bereiken eerst een kleine dertig meter over een mul zandpad hebben moeten lopen.

Benders liep door het zand naar de ventweg en ontdekte daar dat deze na honderd meter doodliep. Om naar haar huis te kunnen fietsen had het meisje dus eerst de verkeersweg moeten oversteken om via het fietspad haar weg naar huis te kunnen vervolgen. Een andere mogelijkheid om vanaf de woning het fietspad te bereiken leek er niet te zijn.

Benders keek om zich heen. Het woonhuis lag erg afgelegen. Hij liep terug en zag dat de achterkant van het huis grensde aan een volkstuinencomplex, waarlangs een pad liep dat uitmondde op een parkeerplaats. Waarschijnlijk bestemd voor de bezitters van de volkstuinen. Benders liep via het smalle paadje langs de tuinen naar de parkeerplaats. De geasfalteerde plek bood plaats aan ongeveer twaalf auto's. Zoals hij al had vermoed stond er inderdaad een bord met de vermelding dat de parkeerruimte uitsluitend bestemd was voor bezoekers aan volkstuinencomplex "Ons Genoegen". Hij sloot niet uit dat de moordenaar zijn auto hier had geparkeerd om vervolgens vrijwel onopgemerkt het pand van de bejaarde man te bereiken.

Hij liep de met coniferen omzoomde parkeerplaats af en ontdekte dat het vanaf die plaats ook een mogelijkheid voor Ilse had kunnen zijn om het rijwielpad te bereiken. De moordenaar had het meisje op haar vlucht kunnen volgen. Maar Ilse was op de fiets geweest. Normaal gesproken betekende dat, dat ze een gerede kans had om uit de klauwen van haar belager te blijven. Toch had de moordenaar haar weten te achterhalen. Om dit te verklaren was maar één conclusie mogelijk. Het meisje moest tijdens haar poging om te ontsnappen in paniek zijn geraakt, waardoor ze door een verkeerde manoeuvre met haar fiets was gevallen.

Misschien was hij in het trekken van zijn conclusie wat voorbarig, maar zijn gevoel zei hem dat de theorie klopte. Dat het zo moest zijn gegaan. Hoewel het merkwaardig bleef dat de moordenaar er voor had gekozen het meisje te wurgen, terwijl hij in het bezit was van een wapen.

Benders liep terug naar zijn auto en verzoende zich voorlopig met de gedachte dat de moordenaar voor verwurging had gekozen, omdat het gebruik van een vuurwapen teveel geluid zou hebben gemaakt. Hoewel hij besefte dat dit argument in dit verlaten gebied niet sterk was.

6

De huisarts van Marlies Van Dronkenoord liet Benders weten er geen bezwaar tegen te hebben om haar te verhoren. 'Ik heb haar zojuist een kalmerend middel gegeven,'zei hij. 'Ze heeft zichzelf weer voldoende onder controle om uw vragen te kunnen beantwoorden. Ik adviseer u alleen om het niet te lang te laten duren.'

Benders keek de huisarts dankbaar aan. Het was puur toeval dat hij de arts nog trof. Van der Mey was juist van plan om te vertrekken toen Benders hem op het pad naar de voordeur tegen het lijf liep.

'Hoelang kent u de familie Van Dronkenoord al, dokter?', vroeg hij.

'Nog niet zo lang', antwoordde Van der Mey. 'Ik nam twee jaar geleden deze praktijk over van dokter Sunmeyer. Zo lang ken ik ze ook.'

'Twee jaar geleden?'

Van der Mey toonde een glimlach. 'Vier jaar geleden besloot ik mijn praktijk in Zaandam te verkopen', verklaarde hij.'Ik was het huisarts zijn zat. Maar al snel kreeg ik heimwee naar de spreekkamer. Ik miste het contact.'

Benders knikte. Hij vroeg zich af hoe dat hém over twee jaar zou vergaan. Of hij dan ook de contacten zou missen. Soms kon hij naar zijn pensioen verlangen. Maar er waren ook momenten dat het hem benauwde. Dat hij dacht, dat het gat waarin hij terecht zou komen hem te groot zou zijn.

'Wat kunt u mij over Tom van Dronkenoord vertellen?'

Van der Mey trok aan zijn kin. 'Tja, daar vraagt u me wat. In medische termen uitgedrukt was hij kerngezond. Toen hij hier kwam wonen, leefde zijn vrouw al niet meer. Zodoende heb ik eigenlijk weinig met hem te maken gehad. In zijn werkende leven was hij aannemer, ergens in de buurt van Velsen.'

'En Ilse?', vroeg Benders verder. 'Wat was zij voor een meisje?'

'Ilse was een gewoon meisje. Een puber, met alles wat daarbij komt kijken. Maar als u mij niet kwalijk neemt, ik heb nog meerdere visites af te leggen.'

Benders hoorde zijn telefoon. Hij maakte verbinding en knikte naar de vertrekkende huisarts. Het was Teulings die in telegramstijl een boodschap aan hem doorgaf.

Een openzwaaiende deur verhinderde hem te lang bij zijn mededeling stil te blijven staan. Marlies verwelkomde hem als een oude bekende. Alsof hij voor de gezelligheid bij haar op visite kwam.

'Hebt u de dokter nog gesproken?', vroeg ze als eerste.

Benders knikte en liep achter haar aan naar de woonkamer. 'Dokter Van der Mey vertelde mij dat het goed met u gaat. Goed genoeg in ieder geval om u een aantal vragen te stellen.'

Marlies nam plaats en bood Benders een stoel tegenover haar aan. 'Ik zal proberen uw vragen te beantwoorden', zei ze gereserveerd.

Benders schraapte zijn keel. 'Als eerste wil ik terugkomen op wat u mij eerder vertelde over uw schoonvader', begon hij.

Marlies keek hem niet-begrijpend aan. 'Ik ben bang dat ik niet precies begrijp wat u bedoelt', zei ze. Ze leek oprecht verbaasd.

'U vertelde mij dat u bang was dat uw schoonvader u zou vermoorden. "Tom vermoordt me"', zei u letterlijk.'

'Dat heb ik u al uitgelegd.'

'Dan mag u dat nogmaals doen.'

'Ik was nogal verward, ik.....'

'U kunt nu dus geen reden meer bedenken waarom u dat tegen mij zei?'

'Nee. Niet echt.'

'Niet echt of echt niet?'

'Echt niet.'

De minieme aarzeling ontging Benders niet. Marlies verzweeg iets. Zoveel was zeker.

'Wat was uw schoonvader voor een man?'

'Tom was heel goed voor Ilse. Hij droeg haar op handen.'

'Kon u goed met hem opschieten?'

'Laten we zeggen: redelijk.'

'Maar niet redelijk genoeg om hem zonder schroom te vertellen dat zijn kleindochter was vermoord?'

Marlies beet op haar onderlip. Benders zag haar nogmaals aarzelen, alsof ze overwoog er verder het zwijgen toe te doen.

'Ik heb u al eerder gezegd. Ik was in de war. Ik wist niet wat ik deed. Dat ik midden in de nacht naar Tom zijn huis ging, was een domme actie. Ik had dat niet moeten doen.'

'Was u bang voor uw schoonvader?'

'Waarom zou ik bang voor hem moeten zijn geweest?'

'Dat is geen antwoord, mevrouw Van Dronkenoord. Dat is een nieuwe vraag.'

Er viel een stilte. Marlies speelde met haar halsketting. 'Goed', doorbrak ze het stilzwijgen. 'U komt er toch wel achter. Tom heeft nooit onder stoelen of banken geschoven, dat hij mij ongeschikt vond als echtgenote voor Robert en als moeder voor Ilse.' Ze liet haar ketting los en keek Benders met een strakke blik aan. 'Maar dat is natuurlijk geen reden om mij te beschuldigen van moord.'

Benders schudde zijn hoofd. 'Er is geen sprake van beschuldigen', zei hij. Hij was geschrokken van de plotselinge heftigheid waarmee ze had gesproken.

'We onderzoeken twee moorden', vervolgde hij. 'Het is voor ons onderzoek van belang om zoveel mogelijk over de slachtoffers te weten. Wie waren zij? Waarom werden ze vermoord? Daar gaat het ons om.'

Marlies speelde weer met haar ketting en staarde naar de grond.

'Tom was een eigenzinnige man', zei ze aarzelend. 'Ik wil niet beweren dat het een slecht mens was, maar hij heeft het mij niet makkelijk gemaakt.'

'U mocht hem dus niet?'

'Ik respecteerde hem.'

'Dat is een ontwijkend antwoord, mevrouw Van Dronkenoord. Mocht u hem?'

'Nee. Ik mocht hem niet.'

Benders bleef haar strak aankijken.

Ze keek terneergeslagen. Alsof een jarenlange strijd zojuist in haar nadeel was beslist.

'Die twee waren twee handen op één buik', vervolgde ze. 'Ik werd er gewoon buiten gehouden.'

'Die twee?'

'Tom en Ilse. Ilse hield van Tom en Tom hield van Ilse. Ik speelde daar geen rol in. Ik was mijn dochter al jaren kwijt.'

Benders knikte. Hij werd plotseling overvallen door een gevoel van medeleven en overdacht in stilte of het niet beter zou zijn om Marlies alleen te laten, maar hij besloot haar nog één vraag te stellen.

'U vertelde mij deze morgen dat u vijf keer hebt aangebeld bij uw schoonvader. Klopt dat?'

'Dat kan natuurlijk ook vier of zes keer zijn geweest. Zo precies weet ik dat niet meer.'

'Maar kan dat ook nul keer zijn geweest?'

Marlies keek hem geschrokken aan. 'Waarom vraagt u dat?'

'Ik kreeg zo-even een telefoontje dat u niet één keer op de bel hebt gedrukt. Uw afdrukken zijn daar niet op teruggevonden. Wel die van Ilse.'

'Maar kan het niet zo zijn dat…..?'

Benders stond op. 'Nee, mevrouw Van Dronkenoord,' zei hij beslist, 'dat kan niet. Geen enkele afdruk is identiek.'

Marlies keek hem verslagen aan. 'Goed', bekende ze. 'Ik heb niet aangebeld. Ik ben er wel geweest, maar heb niet aangebeld. Ik durfde niet. U hebt het goed begrepen. Ik was bang voor hem. Ik was bang voor Tom.'

*

'Bang voor haar schoonvader?'
Benders knikte. Hij vertelde Nikka over zijn gesprek met Marlies
en voegde daar aan toe - hoewel hij daar geen gevoel bij had
- dat ze Marlies als dader dus niet uit mochten sluiten.
Nikka zette haar bril op en pakte een rapport van haar bureau.
'Uit het onderzoek zijn geen concrete sporen van haar gevonden', zei ze zonder van het rapport op te kijken. 'Misschien
moeten we een DNA-test overwegen.'
'Zover zijn we nog niet', reageerde Benders.
'Je gelooft er dus niet in.'
Benders schudde zijn hoofd. 'Niet echt', zei hij. 'We moeten
eerst het buurtonderzoek maar afwachten. Bovendien zijn er
nog enkele getuigen die ik nader wil verhoren.'
'Wie dan?'
'De manegebeheerder, de werkster van Van Dronkenoord. Maar
ook de leden van het volkstuinencomplex. Zij hebben een goed
uitzicht op de achterkant van de woning van het slachtoffer.'
'Wat zegt je gevoel?'
'Je bedoelt over Marlies?'
Nikka knikte en keek hem vragend aan.
'Ik kan het me slecht voorstellen,' antwoordde Benders, 'maar
we zullen ons voorlopig aan de feiten moeten houden. Marlies
heeft een motief. Geen sterk motief, maar een motief.'
'Huiszoeking?'
Benders zag dat Nikka de telefoon al in haar hand hield en
knikte. 'Probeer maar.' Hij draaide zich om en liep naar het
raam dat uitzicht bood op het parkeerterrein van het bureau.
Er kwam een dag dat hij zich niet meer hoefde te ergeren aan
de veel te krappe parkeerruimte en de verwaarloosde groen-
voorziening. Hij verlangde naar die dag, maar besefte ook dat
hij, evenals dokter Van der Mey, heimwee naar zijn werk zou
kunnen krijgen.

Hij draaide zich van het raam en keek naar Nikka. Verbeeldde hij het zich of gedroeg ze zich anders dan normaal? Was ze afstandelijker?

'Wat doen we vanavond? Bij jou of bij mij?'

'Ik heb vanavond een vergadering en verwacht dat het laat wordt.'

Benders wilde reageren maar zag dat de commissaris op verbinding zat te wachten. De toon die Nikka gebruikte, beviel hem niet. Alsof hij een vreemde voor haar was. Hij keek op zijn horloge en besloot weer aan het werk te gaan. Misschien was het alleen maar zijn verbeelding.

John was te vroeg. Het verpleeghuis was nog in diepe rust. Het regende en aan de donkere lucht te zien kwam daar voorlopig geen einde aan.

Hij liep naar de ingang van het gebouw. Tot zijn opluchting zag hij dat het licht bij de receptie brandde. Als hij naar zijn moeder ging kocht hij altijd bloemen bij de kiosk van het station. Maar vandaag was de kiosk gesloten. Nu voelde hij zich schuldig.

Hij liep de lange, hoge gang door en knikte naar een verpleegkundige. Verbeeldde hij het zich? Keek ze anders naar hem? Hij liep snel door, alsof hij haar blik wilde ontvluchten.

Op het einde van de gang opende hij de deur van moeders kamer. 'Hier ben ik weer', riep hij luid. Haar ogen glommen. Haar haar was vet. Het zou nodig gewassen moeten worden, dacht hij bezorgd. Hij boog zich over haar heen en kuste haar voorhoofd. Ze transpireerde. 'Ik heb vandaag geen bloemen voor je mee', zei hij. 'Je zult met mij alleen genoegen moeten nemen.' Hij keek haar glimlachend aan.Tegen beter weten in hoopte hij op een spoor van herkenning. Maar dat bleef uit. 'Wees maar blij dat je de deur niet uit hoeft', zei hij geruststellend. 'Het regent. Je zou nog geen hond naar buiten sturen.'

Ze antwoordde niet. In plaats daarvan staarde ze hem met haar lichte ogen aan, alsof ze op meer woorden wachtte.

'Ze hebben voor de hele dag dit weer voorspeld', vervolgde hij. 'We kunnen vandaag geen wandeling door de tuin maken.' Haar ogen gleden van hem weg en zochten het raam. Hij pakte een stoel en ging aan haar bed zitten. Zijn hand legde hij over haar gevouwen handen. Hij keek naar haar gezicht. Haar mond stond halfopen. Even dacht hij dat ze iets wilde zeggen. Maar er kwam niets.

'Ik zal vragen of ze iemand bij je langs sturen', zei hij. 'Je haar moet nodig worden gewassen.' Hij voelde haar smalle borstkast op en neer gaan en trok zijn hand terug. 'Wanneer is het voor het laatst gewassen?'
Ze verplaatste zwijgend haar blik en staarde naar boven. Na een poosje viel ze in slaap. Zacht fluisterde hij haar toe wat er was gebeurd. Hij betuigde zijn spijt over het doden van het meisje, maar uitte zijn blijdschap over de ingeloste schuld. Daarna verliet hij haar kamer. Hij voelde zich volkomen ontspannen.

8

Toen Benders zijn auto voor de manege wilde parkeren kwam hem dat op een uitbrander van de beheerder te staan.

'Kun je niet lezen, klootzak!!', riep de man, zodra Benders het portier opende. 'Je kunt je auto achter het clubhuis parkeren. Daar is plek zat.' Hij wees naar een houten gebouw dat vijftig meter verder stond, verscholen achter twee reusachtige eiken.

Benders volgde zijn wijzende vinger. 'Hoe kom ik daar?', vroeg hij.

'Terugrijden tot de verharde weg, daar neem je de volgende inrit. Er hangt daar een groot groen bord waarop "parkeren manege" staat. Wat kom je hier trouwens doen?'

Benders toonde zijn politiepas. 'Langendijk?'

De man knikte zichtbaar geschrokken. 'Nu zie ik het', zei hij.

'Ik herkende u niet zo gauw. Gaat het over Ilse?'

'Dat klopt, ja. Ik zie u straks bij het clubhuis.'

'Weten jullie al iets?'

Benders was gaan zitten op een plaats aan een kleine houten tafel bij het raam en keek de beheerder onderzoekend aan. Langendijk was groot en fors en had een opvallend lichte huidskleur. 'Als we al wat zouden weten, komen we daar toch niet mee naar buiten', antwoordde Benders.

Langendijk trok zijn spijkerjack uit en hing deze achteloos over de leuning van zijn stoel. Het viel Benders op dat hij een tatoeage droeg op zijn elleboog. De afbeelding van een spinnenweb. 'Ilse verdiende dit niet', zei de beheerder, nadat hij tegenover Benders had plaatsgenomen. 'Ze was een schat van een meid.'

'Niemand verdient het om op deze manier aan zijn einde te komen.'

De man knikte en keek zwijgend naar buiten. Benders zag zijn woede.

'Wat was Ilse voor een meisje?'

Langendijk schoof met zijn hand over het tafeltje en leek naar woorden te zoeken om het meisje te omschrijven. 'Voor haar leeftijd was ze vrij serieus', begon hij. 'Volwassen, zou ik haast zeggen. Ze had om die reden, denk ik, ook weinig aansluiting bij haar leeftijdgenoten.'

'Was het de gewoonte van Ilse om alleen naar huis te fietsen, ik bedoel waren er geen andere kinderen, vriendinnen, die dezelfde kant als Ilse op moesten fietsen?'

'Ilse vertrok altijd als laatste. Dat kwam ook omdat ze haar taak, de stal netjes achter te laten, serieus nam. De anderen wachtten daar niet op.'

'Had ze hier vrienden?'

De beheerder schudde zijn hoofd. 'Niet echt', antwoordde hij. 'Zoals ik al zei, vond ze weinig aansluiting bij haar leeftijdgenoten. De enige jongen met wie ze een beetje op gelijke hoogte stond, haakte voor het nieuwe seizoen af.'

Benders knikte belangstellend 'Wie was die jongen?', vroeg hij.

'Erwin de Vries. In het begin van dit seizoen kwam hij hier nog regelmatig. Dan hielp hij Ilse de stal schoonmaken en fietste hij met haar terug naar huis. Hij woont aan het eind van het dorp, twee boerderijen verder dan Ilse.'

'U zei "in het begin van het seizoen". Hoelang is dat geleden?'

Langendijk leek daarover na te moeten denken. 'Het nieuwe seizoen is zeven weken geleden begonnen', antwoordde hij na een poosje. 'Laten we zeggen dat het dus ongeveer een maand geleden was dat hij hier voor het laatst is langs geweest.'

'Daarna hebt u de jongen hier niet meer gezien?'

'Nee?'

'Waarom is Erwin afgehaakt?'

'Ik denk om het geld. Paardrijden is een dure sport.'

'Had u het idee dat er meer was dan een vriendschap?'

'U bedoelt of er sprake was van een verliefdheid?'

'Zoiets, ja.'

Langendijk schudde zijn hoofd. 'Daar was geen sprake van', zei hij beslist. Zijn blik verraadde iets van spot. Alsof hij vond dat Benders hem een domme vraag had gesteld.

'Hoelang bent u hier beheerder?'

'Sinds vijf jaar.'

'Kende u de grootvader van Ilse ook?'

'Ja. Denken jullie dat....?'

'Wij denken nog niets', onderbrak Benders. 'Hoe goed kende u de heer Van Dronkenoord?'

'Ik kende hem niet goed. Hij kwam hier regelmatig kijken naar de verrichtingen van Ilse, maar naar mij toe was hij nogal afstandelijk.'

Benders keek de man onderzoekend aan.Langendijk leek niet gecharmeerd te zijn van Van Dronkenoord. De onverschillige manier waarop hij over Ilses opa sprak liet daar geen twijfel over bestaan.

'Uit uw verklaring begreep ik dat u haar vlak voor haar vertrek nog hebt gesproken. Heeft Ilse tijdens dat gesprek gezegd dat ze van plan was een bezoek aan haar opa te brengen?'

'Nee', antwoordde Langendijk beslist. 'We hebben het alleen over haar paard gehad. Over Daska. Ilse was bang dat er iets mis was met het rechtervoorbeen van de merrie, waarop ik haar beloofde daarnaar te kijken.'

Benders keek door het raam naar buiten en vroeg zich af of hij zich verbeeldde dat de beheerder moeite had zijn emotie te verbergen.

'Mocht u Ilse graag?'

Langendijk slikte een paar keer. 'Ja', antwoordde hij. 'Ilse was een leuke meid en een goede amazone. Ik ben ervan overtuigd dat we in de toekomst meer van haar zouden hebben gehoord.'

Benders knikte en stond op uit zijn stoel. Hij had het zich niet verbeeld. Langendijk vocht zichtbaar tegen zijn tranen. Alsof hij met de dood van Ilse een dochter had verloren.

*

Benders besloot na zijn bezoek aan de manege naar het volkstuinencomplex te rijden. Onderweg vroeg hij zich af of hij er
niet verstandiger aan deed om eerst langs het bureau te gaan
om te lunchen, maar verwierp deze gedachte onmiddellijk omdat
dit te veel tijd zou kosten. Hij moest zijn beginnende honger
nog maar even negeren.

Hoewel het er de tijd van het jaar niet voor was, hoopte hij
toch iemand op het complex aan te treffen. Ooit had hij ergens
gelezen dat bezitters van volkstuinen zich ook om andere redenen dan het kweken van gewassen terugtrokken op hun stukje grond. Veelal zouden zij het ook gebruiken om aan de dagelijkse stress van thuis te ontsnappen.

Ineens moest Benders eraan denken of een volkstuin iets voor
hem zou kunnen zijn. Wanneer hij over een paar jaar was gestopt
met werken, zou hij zich kunnen gaan bezighouden met het
kweken van allerlei groenten of verschillende soorten snijbloe-
men.

Nog nadenkend over dit plan parkeerde hij zijn auto op het
daarvoor bestemde terrein en liep naar de ingang. Voor zover
hij kon zien, was er niemand. Het complex maakte een verlaten indruk.

Hij opende het ijzeren toegangshek en liep het pad op, dat hem
langs de diverse tuinen voerde. Hij ontdekte daar grote onderlinge verschillen. Waar de één uitblonk in orde en netheid, maakte de ander er een rotzooitje van. Hier en daar zag hij zelfs
platgetrapt en rottend gewas uit de grond steken. Misschien
moest hij nog eens goed overdenken of zo'n tuin echt wel iets
voor hem was. Het onderhoud van zo'n stuk grond vergde veel
tijd en waar zou hij heen moeten met al de groenten en bloemen die hij zou kweken?

'Zoekt u iemand!!?'

Benders keek geschrokken achterom. Achter hem zag hij de
man die naar hem had geroepen. Het was een kleine man met

een gedrongen postuur. Hij stond in de deuropening van een groen schuurtje en droeg een groene baseballpet.

Omdat de ander geen aanstalten maakte zijn richting op te komen, besloot Benders naar hem toe te gaan.

De man keek argwanend, alsof hij de naderende bezoeker niet vertrouwde. 'Zoekt u iemand?', herhaalde hij zijn vraag.

Benders schudde zijn hoofd. 'Niet in het bijzonder', antwoordde hij. 'Ik stoor u toch hopelijk niet in uw werk?'

'Dat werk kan wachten. Wat wilt u?'

Benders schraapte zijn keel en vertelde over het doel van zijn bezoek.

'Een akelige geschiedenis', zei de hobbytuinder zodra Benders was uitgesproken. Hij stak zijn hand naar voren en stelde zich voor als Harlaar. 'Ik denk niet dat ik u verder kan helpen, maar het is natuurlijk niet onmogelijk dat een van de andere leden dat wel zou kunnen.'

'Bestaat er zoiets als een ledenlijst?'

Harlaar knikte. 'Ik zal zorgen dat u die krijgt', beloofde hij.

Benders keek hem dankbaar aan en richtte daarna zijn blik op de goedverzorgde volkstuin. 'Zit er nou veel werk aan zo'n tuin?', vroeg hij belangstellend.

'Als je het goed wilt doen, gaat daar veel tijd in zitten,' antwoordde Harlaar, 'maar sommige leden denken daar anders over. Die komen alleen als de zon schijnt en verouwehoeren hun tijd dan ook nog.' Harlaar keek misprijzend naar de aangrenzende tuin waar het onkruid welig tussen het rottende gewas tierde. 'Ik heb de man van hiernaast al meerdere keren op zijn gedrag aangesproken, maar hij verdomt het om de boel een beetje bij te houden.'

'Maar kunnen dat soort leden dan niet worden geroyeerd? Ik bedoel, bestaat er niet zoiets als een huisreglement waaraan iedereen zich dient te houden?'

'Natuurlijk bestaat dat, maar de belangrijkste regel daarvan is dat je op tijd je huur betaalt en dat is zo'n beetje het enige waar mijn buurman zich stipt aan houdt.'

Benders knikte. Hij zag hoe Harlaar zich opwond over zijn nalatige buurman en besloot een einde aan het gesprek te maken. 'Hier hebt u mijn kaartje', zei hij. 'Zodra u de ledenlijst voor mij hebt, hoor ik dat graag van u.'

'Waarom hebben ze Van Dronkenoord omgelegd?'

De vraag van de tuinder kwam volkomen onverwacht. Benders antwoordde de man naar waarheid dat hij daarvan geen enkel idee had en dat hij daarom op zoek was naar bruikbare tips. Harlaar mompelde daarop iets onverstaanbaars als antwoord en zei Benders gedag.

Benders verliet het tuinencomplex. Hij verlangde naar zijn lunch. Om zijn ergste honger te stillen, besloot hij zo meteen bij de plaatselijke bakker alvast een krentenbol te kopen.

Toen hij het stalen hek achter hem dichtdeed, zag hij dat Harlaar nog voor zijn kas stond. Hij had een sigaret aangestoken en stond naar de hemel te staren. Benders vroeg zich af wat de man in dit jaargetijde op de tuin deed, maar kon niets bedenken. Was het dan toch waar wat hij had gelezen?

*

In de ontvangsthal van het bureau werd Benders staande gehouden door Tjeerd Kootstra. De Friese rechercheur wilde hem iets laten zien. Iets dat hij was tegengekomen tijdens de huiszoeking in het pand van de vermoorde Van Dronkenoord. Benders wilde hem zeggen eerst te willen lunchen, maar de gespannen blik van Kootstra deed hem anders besluiten.

'Dit vonden wij in een schoenendoos onder het bed van Van Dronkenoord', begon Kootstra, terwijl hij een plastic zak met daarin een revolver omhoogheld. 'Blijkbaar voelde het slachtoffer zich al langer bedreigd', vervolgde hij.

Benders hoorde de opwinding in de stem van zijn jonge collega. Het wapen dat Kootstra hem liet zien herkende hij niet, maar het ging in ieder geval om een verouderd type revolver. 'Hebben jullie ook een vergunning voor het wapen gevonden?'

Kootstra schudde zijn hoofd. 'Het staat niet geregistreerd', zei hij. 'Van Dronkenoord had dit wapen illegaal in zijn bezit.'

Benders knikte. 'Het is natuurlijk een belangrijke vondst, maar het hoeft niets te betekenen. Van Dronkenoord was een vermogend man. Het kan heel goed zijn dat hij dit wapen ooit heeft aangeschaft uit voorzorg. Vergeet niet dat vermogende mensen veelal het mikpunt zijn van criminelen.'

Kootstra keek Benders verongelijkt aan en legde het wapen terug in een lade onder zijn bureau. 'Misschien heb je gelijk,' zei hij, 'maar ik blijf het opmerkelijk vinden.'

Zijn teleurstelling ontging Benders niet.

'Hebben jullie verder geen aanknopingspunten gevonden?'

Kootstra schudde zijn hoofd. 'Geen directe aanwijzingen', antwoordde hij. 'Paula heeft zijn correspondentie doorgenomen. Het schijnt dat hij tijdens de oorlogsjaren een belangrijke rol in het verzet heeft gespeeld. Hij is daar vlak na de oorlog ook voor onderscheiden.'

Kootstra pakte een ordner uit de kast en begon daarin te bladeren. *'Tot ridder der vierde klasse der Militaire Willems-Orde'*, las hij voor toen hij ergens in het midden was gekomen. Benders las de rest met Kootstra mee. 'Is er in zijn correspondentie nog meer uit die periode gevonden?', vroeg hij ondertussen.

'Je bedoelt uit de tijd dat hij in het verzet heeft gezeten?'

Benders knikte. 'Ja, wat zou ik anders bedoelen?'

'Er is een goed bewaard plakboek gevonden met foto's en krantenberichten', zei Kootstra. 'Van Dronkenoord wordt daar meerdere malen in geroemd om zijn verzetsdaden.'

Benders stopte met lezen. 'Een goed bewaard plakboek?', vroeg hij nieuwsgierig.

'Ja, je kunt zien dat Van Dronkenoord het boek heeft gekoesterd. Er is vrijwel geen beschadiging aan te zien. Het lag zorgvuldig ingepakt in een afgesloten ladekast. Blijkbaar was hij er best trots op.'

Of ijdel, dacht Benders.

'Waar is dat plakboek?'

'Ik denk dat het bij Paula op haar kamer ligt, maar die is er vandaag niet.'

Benders knikte en keek op zijn horloge. 'Heb jij al geluncht?'

De Fries schudde zijn rossige hoofd. 'Ik wacht eigenlijk op Ayse', zei hij. 'Ze zou mijn lunch komen brengen, maar ik denk dat ze het is vergeten.'

'Ayse?'

'Mijn vriendin.' Hij knikte naar een foto op zijn bureau waarop een meisje met gitzwart haar hem toelachte.

Benders zag zijn trots en besefte weer eens hoe weinig hij over het privéleven van zijn jonge collega wist.

'Heb je zin om met mij in de stad iets te gaan eten?'

Kootstra keek hem verrast aan. 'Graag', antwoordde hij. Hij stond onmiddellijk op en draaide de lade onder zijn bureau, waar hij zojuist de gevonden revolver in had opgeborgen, op slot. Het was Benders al eerder opgevallen dat de Friese rechercheur er een directe en geordende manier van werken op nahield. Wat dat betrof zou hij veel van zijn jonge collega kunnen leren.

'Misschien een gekke vraag, Frank,' zei Kootstra, nadat de ober twee espresso's op tafel had neergezet, 'maar weet jij wat er met commissaris Landman aan de hand is?'

Benders trok zijn wenkbrauwen op. Ze hadden gedurende de lunch niet anders dan over de zaak Van Dronkenoord gesproken. Deze plotselinge vraag over Nikka verraste hem.

'Waarom vraag je dat?'

Kootstra roerde zo wild in zijn kopje dat de toch al weinige koffie over de rand ging. 'Ik wilde haar vanmorgen wat vragen', zei hij. 'Toegegeven het was niet slim van mij om zonder te kloppen naar binnen te gaan, maar om daar nou zo hysterisch over te doen.'

'Nikka was hysterisch?'

Kootstra keek Benders bevreemd aan en knikte. 'Ze begon vreselijk tegen me uit te varen', zei hij. 'Hoe ik het in mijn rooie rotkop haalde om zonder kloppen binnen te komen. Ik zag wel dat ik ongelegen kwam, maar om dan zo te keer te gaan.'

'Waaraan kon je zien dat je ongelegen kwam?'

Kootstra kleurde. 'Haar blouse stond open. Ik kon zien dat er knopen vanaf waren gescheurd, alsof ze gevochten had en.....'

'En wat?'

'Ze had gehuild. Ik kon zien dat ze had gehuild.'

Benders verborg zijn onrust en beloofde Kootstra de commissaris te polsen over het incident. 'Het hoeft natuurlijk niets te betekenen', zei hij. 'Ik zal haar in ieder geval laten weten dat jij ermee in je maag zit.'

Kootstra keek hem dankbaar aan. 'Top van je. Noem jij haar altijd Nikka?'

'Nee, eigenlijk nooit. Maar wat wilde je de commissaris vragen?', veranderde Benders snel van onderwerp.

'Ik wil solliciteren. Daar heb ik referenties voor nodig. Vandaar.'

'Je wilt dus weg?'

'Eigenlijk niet, maar de familie van Ayse woont in de regio Utrecht. Het zou voor haar fantastisch zijn als ik daar een baan kan krijgen.'

Benders knikte en dacht aan de foto. 'Ik begrijp het', zei hij. 'Hoelang kennen Ayse en jij elkaar?

'Twee jaar. We wonen sinds een halfjaar samen.'

'Als de familie van Ayse in Utrecht woont, moet je er alles aan doen om daar een baan te vinden.'

'Ja, maar dat zal niet meevallen in deze tijd.'

'Desnoods solliciteer je naar een functie buiten het korps', drong Benders aan.

Kootstra keek Benders bevreemd aan. 'Het lijkt er nu veel op dat jij me weg wilt hebben', zei hij verongelijkt.

Benders schudde zijn hoofd, 'Ik wil je niet weg hebben', zei hij beslist. 'Ik vind je een goede politieman. Ik zal de commissaris dan ook positief adviseren, maar uit eigen ervaring weet ik hoe belangrijk het is om je privéleven boven het belang van je werk te stellen.'

Daarna wenkte hij de ober en vroeg hem om de rekening. Hij wilde weg. Hij wilde Nikka vragen waarom haar blouse was opengescheurd en waarom ze had gehuild.

Na de lunch liep Benders onmiddellijk naar de kamer van de commissaris, maar trof daar alleen de schoonmaakster aan die hem wist te vertellen dat Nikka twee uur eerder was vertrokken.

'Heeft de commissaris nog verteld waar ze naartoe ging?'

Donja schudde haar hoofd. 'Ze vroeg me haar kantoor een extra schoonmaakbeurt te geven. Ze zou voor een paar dagen de stad uit gaan, maar waar naartoe heeft ze mij niet verteld. Dat hoeft ze natuurlijk ook niet, ze...........'

Benders wachtte niet af wat Donja nog meer wilde vertellen en verliet na een haastig gemompelde groet het vertrek. In zijn eigen kantoor belde hij Nikka op haar mobiele nummer en wachtte gespannen of ze zou opnemen. Na vijf lange tonen hoorde hij haar voicemail. Teleurgesteld verbrak hij de verbinding om na een tweede poging zijn boodschap in te spreken. Hij vroeg zich ondertussen af waarom ze zo plotseling was vertrokken en waarom ze hem dat niet had laten weten. Had hij zich dan toch in haar vergist?

Hij ging achter zijn bureau zitten en trommelde ongedurig met zijn vingers op het stalen blad, alsof hij verwachtte dat ze hem onmiddellijk zou terugbellen. Even later werd er op zijn deur geklopt. Na zijn "binnen" stapte brigadier Van Raalte zijn kantoor in en overhandigde hem een brief met de mededeling dat de commissaris hem had gevraagd deze persoonlijk aan hem te overhandigen. Benders nam hem aan en wachtte tot Van Raalte was vertrokken. Daarna scheurde hij de enveloppe open.

Frank,

*Ik ben voor enkele dagen de stad uit. Over het hoe en waar-
om zal ik je later vertellen. Zeker is wel dat ik niet definitief
zal terugkeren. Het spijt me dat ik nog even niet duidelijker
kan zijn.*

*Pas goed op je zelf,
Nikka*

Na de korte brief drie keer te hebben overgelezen, legde hij
hem terug op zijn bureau en stond op. Blijkbaar is mijn leven
voorbestemd om door vrouwen te worden verlaten, overdacht
hij somber.
Hij moest aan Kootstra denken en wenste dat de jonge politieman zijn goede raad zou opvolgen. Eline had hem verlaten
omdat hij zijn werk belangrijker dan haar had gevonden. Als
een sluipend gif was het hun relatie ingekropen. Na zijn bevor-
dering tot hoofdinspecteur was hij zijn taak als politieman de
prioriteit gaan geven boven zijn rol als echtgenoot. Alsof de
misdaden die hij bestreed bepalend waren voor zijn levensge-
luk. Hij schopte nijdig tegen een verwarmingsbuis en vloekte daarna hartgrondig om de pijn, die hij zichzelf had aangedaan.

9

Benders werd in zijn auto door zijn dochter gebeld met de vraag of hij zin had bij haar te komen eten. Na een korte aarzeling stemde hij daarin toe. Het idee om straks weer alleen te eten in zijn appartement lokte niet. Sinds Eline een jaar geleden had besloten bij hem weg te gaan, beschouwde hij dit nog steeds als een gruwel.

Hij keek op zijn digitale klokje en begreep dat hij haast moest maken. Voor deze middag had hij zich voorgenomen een bezoek te brengen aan Erwin de Vries. Hij wilde weten wat de jongen hem had te vertellen over zijn omgang met Ilse. Volgens Langendijk was het ondenkbaar dat er meer tussen hen was geweest dan vriendschap. De manegebeheerder was daar heel stellig over geweest. Alsof hij het een bespottelijke gedachte vond dat er sprake kon zijn van een liefdesrelatie.

Benders passeerde de boerderij van de familie Van Dronkenoord. Hij dacht na over de onderlinge familiebanden, in hoeverre daar überhaupt sprake van was. Marlies van Dronkenoord vertelde van haar dochter te hebben willen houden, maar dat Ilse haar dat onmogelijk had gemaakt. "Ilse hield van Tom en Tom hield van Ilse." Marlies werd daarbuiten gehouden. Kon dat een motief zijn?

Hij schudde zijn hoofd. De huiszoeking in de boerderij van Marlies Van Dronkenoord had geen aanknopingspunten opgeleverd. In het dagboek dat ze van Ilse hadden gevonden, werd bevestigd wat Marlies al had verteld. Het meisje adoreerde haar opa. Waar ze hém liefkozend "Opie" noemde, omschreef ze haar moeder als "dat mens".

Uit wat Ilse had geschreven, was niet naar voren gekomen dat er iets zou zijn geweest tussen haar en Erwin. Ze noemde hem "een aardige jongen, maar niet mijn type". Uit haar schrijven bleek dat Ilse sowieso nog niet toe was aan jongens. In haar dagboek schreef ze hoofdzakelijk over haar passie voor paarden en de liefde die ze koesterde voor haar merrie Daska.

Benders draaide het erf op van de boerderij waar Erwin volgens Langendijk zou moeten wonen. Zodra hij de auto uitstapte, werd hij verwelkomd door een luid blaffende labrador. De hond liep met grote snelheid op hem af. Even had Benders de angst dat het beest hem zou aanvallen, maar toen de hond hem tot twee meter was genaderd, bleef hij staan en begon enthousiast met zijn staart te kwispelen.

Met de labrador in zijn kielzog liep Benders naar de voordeur en vroeg zich juist af waarom de bewoners niet reageerden op de blaffende hond, toen een vrouw van rond de veertig de deur opende. Ze keek hem verwonderd aan. Blijkbaar was bezoek hier geen dagelijkse routine.

'Wat wilt u?', vroeg ze luid. Benders zag haar argwaan en toonde zijn legitimatie. 'Ik kom voor Erwin', zei hij.

Ze keek met toegeknepen ogen naar zijn politiepas. 'Politie?', vroeg ze geschrokken. 'Wat heeft dat joch nou weer uitgespookt?'

'Waarschijnlijk niets, ik…'

'Erwin!!'

Haar roep galmde door de gang naar boven, waar een seconde later een jongeman boven aan de trap verscheen.

'Wat is er aan de hand? Waarom schreeuw je zo?'

'Er is hier iemand van de politie die je wil spreken.'

De jongen kwam naar beneden en keek Benders wantrouwend aan. 'Spreken waarover?'

'Ilse. Ilse van Dronkenoord.'

De stilte die daarop volgde, gebruikte Benders om de jongen onderzoekend aan te kijken. Erwin was duidelijk geschrokken bij het noemen van Ilses naam. Hij bloosde en draaide zijn ogen naar de grond. 'Wat wilt u dan van mij weten?'

'Zullen we dat binnen bespreken?'

De vrouw deed de deur verder open en liet hem binnen. De hond bleef jankend buiten staan.

Benders liep door een donkere gang achter de vrouw en de jongen aan. Ze kwamen in een grote woonkeuken en mevrouw De Vries vroeg aan Benders of ze soms koffie voor hem moest zetten.

Benders schudde zijn hoofd. 'Doet u geen moeite', zei hij.

Ze bood hem een plaats aan de keukentafel aan en gebood haar zoon ook te gaan zitten. Benders nam tegenover Erwin plaats en keek afwachtend naar zijn moeder. 'Ik zou uw zoon graag even onder vier ogen spreken', zei hij toen ze aanstalten maakte bij hen te gaan zitten. Ze keek hem verongelijkt aan en vroeg hoelang het ging duren. 'In verband met het eten', verduidelijkte ze.

Benders beloofde binnen twintig minuten klaar te zijn en zag haar met een verwijtende blik uit de keuken vertrekken.

De jongen leek opgelucht. De schrik in zijn ogen na het noemen van de naam Ilse van Dronkenoord had plaatsgemaakt voor de uitdagende blik die paste bij een jongen van zeventien tegenover de politie.

'Als u maar weet dat ik er niks mee te maken heb', begon hij, zodra zijn moeder de deur achter zich had dichtgedaan.

Benders keek hem quasi -verwonderd aan. 'Wie beweert dat dan?'

'U bent hier niet zomaar.'

Benders schudde zijn hoofd. 'Niet zomaar, nee', zei hij kalm. 'Ik ben hier om jou een paar vragen te stellen in verband met de dood van Ilse. Niet meer en niet minder.'

De jongen speelde wat met zijn mobiele telefoon en keek Benders onverschillig aan. 'Vraagt u maar', zei hij schouderophalend.

'Was Ilse jouw vriendin?'

Zijn antwoord kwam verbazend snel. 'Nee', zei hij. 'Hoezo?'

'Maar je kende haar wel.'

'Ik zat bij haar op paardrijden.'

'En hielp haar met de stal schoon te maken.'

Erwin bloosde. 'Dat, dat gebeurde wel eens', stamelde hij.

'Fietste je wel eens met haar terug naar huis?'

'Soms.'

'Hoelang is het geleden dat je Ilse voor het laatst hebt gesproken?'

'Al meer dan twee maanden.'

Benders bleef de jongen zwijgend aankijken. Erwin probeerde zijn interesse voor Ilse te verbergen door quasi-belangstellend zijn sms-berichten na te kijken. Maar Benders trapte daar niet in. De jongen was tot over zijn oren verliefd op het vermoorde meisje. Daar was geen twijfel over mogelijk.

'Het is niet strafbaar om een vriendin te hebben, Erwin', probeerde hij kalm. 'Ook al is ze vermoord.'

In de stilte die volgde, zag Benders hoe het laatste restje branie uit het gezicht van de jongen verdween. Erwin kleurde dieprood en liet zijn mobiele telefoon voor wat hij was. 'Ik vind het erg dat ze dood is,' zei hij zacht, 'maar ik vind het nog erger dat ze is vermoord.'

Benders knikte. Hij liet de jongen de ruimte weer tot zich zelf te komen en herhaalde daarna zijn eerder gestelde vraag.

'Ik zag haar drie weken geleden voor het laatst', antwoordde Erwin. 'Ik wilde haar afhalen van de manege. De dag daarvoor had ik nog een bericht achtergelaten op haar mobiel, maar ze had daar niet op gereageerd.'

'Ben je toen wel naar de manege gegaan?'

'Ja, maar vlak voor de ingang van de kantine zag ik haar in zijn auto stappen. Ik was te laat. Het regende die dag. Ik had even staan schuilen.'

'Bij wie stapte ze in de auto?'

'Bij de beheerder. Blijkbaar had hij haar in verband met het slechte weer een lift aangeboden.'

'Dat was drie weken geleden?'

Erwin knikte. 'Precies twee weken, voordat ze werd vermoord. Ik heb haar later nog via een berichtje om uitleg gevraagd, maar ik heb nooit meer wat van haar gehoord.'

'Om uitleg gevraagd?'

'Of ze iets had met Langendijk', verklaarde Erwin. 'Die geruchten gingen op de manege.'

Benders verborg zijn verbazing en keek op zijn horloge. 'Goed, Erwin', zei hij gehaast. 'Hier laten we het bij.' Hij stond op van zijn stoel en gaf de jongen een hand.

Bij het verlaten van de boerderij dacht hij terug aan de manegebeheerder. Langendijk had gezegd Ilse een leuke meid te hebben gevonden. Benders vroeg zich nu af wat de beheerder daarmee precies had bedoeld.

10

Benders veegde zijn mond schoon en keek met spijt naar zijn lege glas. 'Heerlijke wijn', zei hij tegen zijn dochter. 'Waar komt die vandaan?'

'Dit is een Merlot uit Nieuw-Zeeland. Volgens kenners niet de beste, maar ik vind hem heerlijk.'

'Denk je nog wel eens aan je periode in Nieuw-Zeeland?'

Femke knikte. 'In het bijzonder als ik deze wijn drink', zei ze glimlachend. 'Ik dronk een Merlot toen ik John leerde kennen.'

Benders keek zijn dochter niet-begrijpend aan. Tien maanden geleden was ze teleurgesteld teruggekeerd uit Nieuw-Zeeland. De man op wie ze daar verliefd werd, had haar tijd lang laten geloven dat ze voor hem de enige was, maar na een aantal maanden was ze erachter gekomen dat hij getrouwd was en vader van twee kinderen.

'Als deze wijn je herinnert aan die nare periode begrijp ik niet waarom je hem drinkt', zei hij verbaasd.

'Je denkt toch niet dat ik die klootzak het plezier gun om mijn favoriete wijn voor hem te laten staan.' Ze pakte demonstratief de fles en deelde het laatste restje met haar vader. 'Hoe is het trouwens met jou, pa?', vervolgde ze. 'Red je het een beetje in je eentje?'

'Dat gaat best', loog hij

'En tussen jou en Nikka?'

'Goed.'

'Goed of geweldig?'

'Gewoon, goed. We eten soms bij elkaar en gaan af en toe uit.'

'En met elkaar naar bed', vulde Femke aan.

Benders verslikte zich bijna in de wijn en keek zijn dochter verrast aan. 'Hoe weet jij….?'

Femke lachte.'Als jij niet zo slordig was de afdrukken van

haar bestaan in je appartement achter te laten zou ik dat inderdaad nooit hebben geweten', zei ze grinnikend. 'Maar wees nou eens eerlijk pa, voel jij wat voor Nikka?'

Benders maakte zichzelf uit voor een rund. Femke had een sleutel van zijn woning en kwam een paar uurtjes in de week langs om de chaos in zijn appartement te ordenen. Daar had hij natuurlijk rekening mee moeten houden. Hij dacht koortsachtig na. Het was al minstens twee weken geleden dat Nikka bij hem was blijven slapen. Misschien wel voor de laatste keer. 'Het is niet wat je denkt', probeerde hij. 'Nikka is een goede vriendin en........'

'Lul niet, pa. Ik ben geen kind meer. Je bent gek op dat mens en ik kan dat nog begrijpen ook.'

Benders keek zijn dochter schaapachtig aan. 'Hoezo....?'

'Ik heb haar vanmorgen ontmoet', verklaarde ze. 'Ze kwam wat spullen ophalen die nog in jouw appartement lagen. Leuk mens trouwens. We hebben lang met elkaar gesproken.'

'Waar hebben jullie het dan over gehad?'

'Over van alles. Haar leven. Over jou. Over waarom ze heeft besloten het korps te verlaten en.....'

'Heeft Nikka tegen jou gezegd dat ze ons gaat verlaten?', vroeg Benders verbaasd.

Femke knikte. 'Ze vond het een van de moeilijkste beslissingen uit haar carrière, maar ze kon niet anders. "Dit is voor iedereen het beste", beweerde ze.'

Alleen God hoorde Benders vloeken. Met Nikka had hij gehoopt de balans in zijn bestaan terug te vinden. Haar vertrek zou hem weer opnieuw aan het wankelen brengen.

'Waar is ze dan naartoe?' Zijn vraag kwam er snauwend uit. Alsof hij zijn dochter verweet wat Nikka besloot.

'Beheers je een beetje, pa', reageerde Femke fel. 'Het zou je sieren haar besluit te respecteren.'

'Maar waarom in godsnaam?'

'Ze heeft problemen met haar dochter. Nikka is zo eerlijk geweest haar verhouding met jou tegenover haar op te biechten. Haar dochter reageerde furieus. Ze kregen slaande ruzie op het bureau. Ze verweet haar moeder een nog grotere hoer te zijn dan dat zijzelf was.' Hier stopte Femke even en keek haar vader vragend aan. 'Je weet dat haar dochter een verslaafde prostituee is?'

Benders knikte. 'Dat heeft ze mij verteld, ja.'

'Ik denk dat Nikka zich het verwijt van haar dochter heeft aangetrokken en daarom besloot de relatie met jou te beëindigen. Ze kon het niet langer aan.'

Benders zuchtte. Hij herinnerde zich zijn gesprek met Kootstra. Nu begreep hij waarom de Friese rechercheur Nikka had aangetroffen met een gescheurde blouse en betraande ogen. Inderdaad, een slechter moment had Tjeerd niet kunnen treffen. 'Heeft Nikka je ook verteld waar ze naartoe is?'

Femke schudde haar hoofd. 'Nikka vertelde me dat ze je nog zou bellen om alles uit te leggen.'

Benders viel stil. Hij dacht terug aan de brief die Nikka hem had geschreven en begreep dat het haar ernst was. Hij was haar kwijt.

11

Harlaar was de volkstuinledenlijst persoonlijk komen brengen. De tuinder had Benders erop gewezen, dat er onlangs een kleine mutatie in het ledenbestand was opgetreden. Een man, die Van Engelsen heette, zou inmiddels zijn lidmaatschap hebben opgezegd. Harlaar voegde daaraan toe dat dat hem niet speet. Hij mocht Van Engelsen niet. De man zou er rechtsextremistische gedachten op nahouden en bovendien een drankprobleem hebben.

In totaal telde Benders tweeëndertig leden. Vier daarvan waren vrouw. Onder de namen viel hem de naam J. Langedijk onmiddellijk op. Hij vroeg zich af of het toeval was, of dat het hier ook om de manegebeheerder ging. Volgens de geboortedata, die op de lijst stond vermeld, was het merendeel van vóór 1960. Blijkbaar was een volkstuin bij de jeugd niet meer in trek. Misschien moet de regering overwegen om het op beperkte schaal telen van wiet op volkstuinen toe te staan, bedacht Benders cynisch.

Hij had Harlaar verder nog gevraagd waarom het enthousiasme van Van Engelsen voor de volkstuin zo plotseling was overgegaan, maar de tuinder had daar zelf ook geen verklaring voor gehad.

Tijdens het werkoverleg was besloten de leden van de volkstuin zo snel mogelijk te horen. Benders zou een bezoek brengen aan Langedijk en Van Engelsen. Dat de laatste zijn lidmaatschap had opgezegd maakte hem als getuige niet minder interessant. Wellicht was zelfs het tegendeel het geval.

Hij keek op zijn horloge en pakte zijn jas van de kapstok. In de gang overwoog hij nog even in de kamer van de commissaris te kijken, maar zijn gezonde verstand seinde hem in dat dat zinloos was. Het zou deze dag al voor de derde keer zijn. In zijn auto hoorde hij op het nieuws dat de Servische oorlogsmisdadiger Ratko Mladic zou zijn opgepakt en gearresteerd, maar de nieuwslezer vertelde ook dat er berichten waren die dat tegenspraken. Benders schudde misnoegd zijn hoofd. Hij maakte zich kwaad over dat soort tegenstrijdigheden. Iemand was gearresteerd of niet. Als nog niet duidelijk was dat ze die schoft te pakken hadden, konden ze beter hun mond houden. Zodra hij het dorp naderde, reed hij naar de kant van de weg en stopte in de berm om zijn plattegrond te raadplegen. Daarna reed hij verder. Van Engelsen zou in een appartementengebouw aan de rand van het dorp wonen. Van een afstand was het halfronde, roodbakstenen gebouw al te zien. Het drie verdiepingen tellende bouwwerk vormde voor de erachter gelegen woningen een gedegen windscherm tegen de ijzige wind uit de polder.

Het viel Benders op dat er diverse appartementen in het gebouw te huur stonden. Waarschijnlijk waren de mensen uit deze streek niet gecharmeerd van dit moderne bouwwerk, of waren de huren voor deze optrekjes voor de meesten van hen niet te betalen. Hij raadpleegde zijn ledenlijst voor het huisnummer en drukte op de bel naast nummer 19. Er volgde geen reactie. Benders wachtte even en drukte voor de tweede maal. Toen er nog niets gebeurde, keek hij naar boven. Van Engelsen zou op de eerste verdieping moeten wonen. Hij deed een paar stappen naar achteren om over de balustrade heen naar de huisnummers te kunnen kijken en ontdekte dat de gordijnen op nummer 19 gesloten waren.

Besluiteloos bleef hij een paar minuten voor de entree staan dralen om uiteindelijk de keuze te maken het op een later tijdstip nogmaals te proberen. Maar juist voordat hij zich omdraaide, hoorde hij achter hem iemand vragen naar wie hij op zoek was. De vrouw die deze vraag stelde schatte hij midden dertig. Ze keek hem met een onderzoekende blik aan, alsof ze in hem een vage kennis zag, wiens naam haar ontschoten was.

'Ik kom voor de heer Van Engelsen', antwoordde Benders. 'Maar ik denk niet dat hij thuis is.'

'Ik denk ook niet dat hij nog thuiskomt', zei de vrouw. Ze zette haar boodschappentas op de grond en zocht iets in haar zakken. 'Hij is vorige week vertrokken', vervolgde ze nadat ze een sleutel uit haar zak had gediept. 'Hij is terug naar Amsterdam.' Benders verbeet zijn teleurstelling en gaf de vrouw haar tas aan. 'Hebt u hem goed gekend?', vroeg hij.

'Hij was mijn buurman. Maar waarom vraagt u dat?'

Benders pakte zijn politiepas en verklaarde zijn belangstelling. De vrouw aarzelde even. 'Komt u dan maar verder', zei ze uiteindelijk. 'Het is tenslotte te koud om buiten te blijven staan.' Eenmaal boven stelde de vrouw zich voor als Debbie van Dijk en vroeg Benders plaats te nemen aan de keukentafel. 'Het is een akelige geschiedenis', zei ze, terwijl ze haar tas uitpakte. 'Niet dat ik de slachtoffers heb gekend of zo, maar toch…..'

Benders wachtte op een vervolg, maar dat bleef uit. 'Hebt u over die geschiedenis ook met uw buurman gesproken?'

Debbie schudde haar hoofd. 'Ik sprak hem nooit', zei ze. 'Dat hij naar Amsterdam is vertrokken, hoorde ik gisteren van de slijter. Hij heeft niet eens afscheid genomen.'

Benders hoorde haar verwijt. Hij wachtte tot ze wat spullen in de koelkast had opgeborgen en vroeg haar hoelang Van Engelsen naast haar had gewoond.

'Vanaf de oplevering', antwoordde ze. 'Hij woonde hier als een van de eersten. Ik volgde twee maanden later. Ik ben gescheiden, ziet u. Deze woning was voor mij een gedwongen keus.'

Benders knikte. Bespaar me de details, dacht hij. Daar is mijn tijd te kostbaar voor.

'Weet u of Van Engelsen een werkkring had?', vroeg hij snel verder.

'Bedoelt u of hij een baan had?'

'Ja.'

'Ik heb begrepen dat hij bouwvakker is geweest, maar hij zit nu in de WAO. Toch is hij zowat nooit thuis. Blijkbaar heeft hij het te druk met zijn neonazipraktijken.'

'Van Engelsen is een neonazi?'

Debbie keek Benders verontwaardigd aan, alsof ze het hem kwalijk nam niet op de hoogte van zijn politieke overtuiging te zijn. 'Getuige zijn posters die hij in zijn appartement heeft hangen, sympathiseert hij in ieder geval wel met die club', antwoordde ze.

Voor iemand die haar buurman nooit sprak, weet ze veel over hem te vertellen, dacht Benders. Hij besloot de vrouw daarmee te confronteren. 'U weet meer over hem dan ik zo-even voor mogelijk hield', zei hij met een glimlach.

Het duurde even voordat het kwartje bij Debbie viel. 'Ik hoorde dit van mijn ex-zwager', zei ze verontschuldigend. 'Hij is wel eens bij hem thuis geweest. Mijn ex-zwager heeft hier op het dorp een slijterij. Van Engelsen was een vaste klant van hem.'

'Uw ex-buurman lustte dus graag een borrel?'

'Dat kun je wel zeggen, ja.'

'Weet u zijn nieuwe adres?'

'Nee, maar misschien heeft hij het mijn zwager laten weten.'

Benders knikte en vroeg Debbie het adres van de slijter. Hij was nieuwsgierig geworden naar de man die net zo plotseling in dit dorp was neergestreken als dat hij er was vertrokken.

Na zijn bezoek aan de slijterij besloot Benders een lunchroom op te zoeken. Hij had honger en snakte naar koffie. Hij was niet veel wijzer geworden van de slijter die het vertrek van Van Engelsen uitsluitend betreurde om diens klandizie. "Door zijn besluit mis ik een maandelijkse omzet van zo'n tweehonderd euro", had hij verklaard. "Maar als mens beschouw ik zijn vertrek niet bepaald als een gemis."

Verder had hij de uitspraak van Debbie, dat Van Engelsen er rechts-extremistische gedachten op nahield, bevestigd maar Benders' vraag om het adres niet kunnen beantwoorden.

Na een aantal keren in de rondte te hebben gereden, vroeg Benders zich af of er in het dorp, dat als een godvergeten oord

op hem overkwam, een lunchroom zou zijn. Twintig meter verder zag hij een vrouw met een hondje lopen. Hij besloot het
haar te vragen en liet zijn raam zakken.

Zodra ze zijn stem hoorde, bleef de vrouw geschrokken staan.
Het hondje spreidde spontaan zijn achterpootjes om een plas-
pauze in te lassen.

'Een lunchroom zei u?'

Benders knikte. 'In ieder geval iets waar ik wat zou kunnen
eten', verduidelijkte hij.

'U kunt het bij de "Rode Leeuw" proberen', zei ze. 'Ziet u die
molen daar?' Ze wees recht voor zich uit. Benders volgde haar
wijsvinger en knikte. 'Na die molen gaat u rechtsaf, dan is het
na vijftig meter aan uw rechterhand.'

Hij bedankte haar en wilde juist het raam sluiten toen hij haar
hoorde vragen of hij soms van de politie was.

Benders keek haar bevreemd aan. 'Hoe kunt u zien dat ik een
politieman ben?', vroeg hij verbaasd.

De vrouw glimlachte. 'Mijn zus gaf me een omschrijving van
de inspecteur die bij haar in huis was blijven slapen', antwoordde ze. 'U voldoet daar exact aan.'

Benders staarde haar perplex aan. 'U bent de zus van Marlies
van Dronkenoord?'

De vrouw knikte. 'Het was jammer dat ik er die avond niet
voor haar kon zijn', zei ze. 'Ik ben u dan ook dankbaar dat u
die nacht bij Marlies bent gebleven.'

Benders keek de vrouw aan. Ze was zeker vijf jaar ouder dan
Marlies, maar in het lage voorhoofd en de brede kaaklijn ontdekte hij hun lotverbonden kenmerken.

'Ik deed niet meer dan mijn plicht', zei hij. 'Hoe gaat het nu
met uw zus?'

Ze antwoordde niet direct en keek in plaats daarvan eerst op
haar horloge. 'Misschien kan ik u dat beter tijdens de lunch
vertellen', zei ze. 'De "Rode Leeuw" is tenslotte niet om over
naar huis te schrijven.'

De hond rukte aan zijn riem, alsof hij het vrouwtje duidelijk wilde maken dat het nu lang genoeg had geduurd. Ze sprak hem even vermanend toe en richtte haar blik toen weer op Benders. 'Ik woon hier om de hoek', vervolgde ze. 'Op nummer 1. U kunt uw auto in de berm parkeren', en ze liep kordaat weg van de auto om even later om de hoek te verdwijnen. Blijkbaar twijfelde ze geen moment aan de reactie op haar uitnodiging.

'Ik heb met mijn zus te doen', zei de vrouw die zich aan Benders had voorgesteld als Charlotte Vergeer. 'Het is een wreed lot, dat nauwelijks is te aanvaarden.'
Benders knikte. Het leken de beginregels van een zwaar gedicht. Hij slikte een stuk brood met kaas weg en nam een slok van zijn melk.
'Hebt u uw nichtje goed gekend?'
Charlotte schudde aarzelend haar hoofd. 'Niet goed genoeg om u te kunnen vertellen wat haar bezighield. Als klein meisje kwam Ilse hier nog wel eens logeren, maar op de een of andere manier klikte het niet tussen ons.'
Benders wachtte even, maar ze verklaarde zich niet nader. 'Van uw zus begreep ik dat het tussen haar en haar dochter ook niet echt boterde', opperde hij voorzichtig. 'Wist u daarvan?'
Charlotte knikte. 'Ik weet daar alles van', antwoordde ze. 'Het was een moeizame relatie. Ilse verloor op kwetsbare leeftijd haar vader. Marlies kwam voor de onmogelijke taak te staan het ontstane gat op te vullen. Dat lukte haar niet. Ik heb Marlies altijd voorgehouden dat ze geduld moest hebben. Dat op een dag Marlies zich weer op haar zou richten.'
Benders knikte. Hij dronk zijn beker leeg en zag hoe Charlotte hem vragend aan bleef kijken, alsof ze een reactie verwachtte.
'Dokter van der Mey vertelde ons dat u op die bewuste avond niet was te bereiken. Waar was u toen?'
'Wij waren bij mijn dochter. Zij woont in Almere. Ons kleinkind was jarig, vandaar.'
Benders zag geen enkel teken die hem deed twijfelen aan de

juistheid van haar alibi. Toch vroeg hij haar naar het adres van haar dochter.

'Maar, u denkt........?'

Benders schudde zijn hoofd. 'Dit is een formaliteit, mevrouw Vergeer. Ik zou hetzelfde hebben gevraagd als u de paus was.'

Ondanks een vage glimlach zag Benders dat zijn vraag de nodige spanning teweegbracht. Hij noteerde het adres van dochter Linda en borg zijn blocnote op.

'Hoe is het nu met Marlies?', vroeg hij om de ontstane spanning wat te breken.

'Mijn man en ik zijn vanmorgen nog bij haar geweest', antwoordde Charlotte. 'We hebben de indruk dat het wat beter met haar gaat.'

'Ik hoorde dat uw zus het aanbod voor slachtofferhulp heeft afgewezen', zei Benders. 'Ik kan natuurlijk niet beoordelen of dat verstandig is, maar het is goed om te horen dat er familie is die zich om haar bekommert.'

'Wij zijn er altijd voor Marlies', verzekerde Charlotte.

Haar woorden klonken gemeend. Benders stond op uit zijn stoel en bedankte voor de gastvrijheid.

*

Onderweg naar zijn volgende getuige merkte Benders dat hij slaperig begon te worden. Hij wilde juist zijn auto aan de kant zetten toen er werd gebeld. Het was Nikka. Gelijk was hij weer scherp. Hij vroeg haar even te wachten en parkeerde zijn auto in de berm. Aan haar stem had hij gehoord dat ze gespannen was, maar dat gold ook voor hem.

'Hier ben ik weer', zei hij, nadat een tractor hem was gepasseerd. 'Hoe is het met je?'

'Waar ben je op dit moment?', negeerde ze zijn vraag.

'Ik ben op weg naar een getuigenverhoor,' antwoordde hij, 'maar dat kan ook tot morgen wachten.'

'Kun je dan naar het bureau komen? Ik wil met je praten.'

Ze klonk zakelijk. Alsof er een transactie moest worden afge-
handeld. Dit was niet de Nikka die hij kende.
'Natuurlijk kom ik', zei hij snel. 'Ik ben over een halfuur bij
je.'

Nikka zat achter haar bureau alsof ze nooit was weggeweest.
Benders zag in één oogopslag dat ze niet lekker in haar vel
zat. Ze leek vermagerd. Hoewel ze haar best deed naar hem
te glimlachen verraadden haar ogen het tegendeel.
'Het is goed je hier weer te zien', probeerde hij opgewekt.
Hij wilde naar haar toelopen, maar Nikka maakte met een kort
handgebaar duidelijk dat liever niet te hebben.
'Ga zitten Frank', gebood ze.
Benders nam plaats voor haar bureau en keek de commissaris afwachtend aan.
'Ik heb tegen deze ontmoeting op gezien,' bekende ze, 'maar
na wat er tussen ons is geweest, vond ik het niet fair je zomaar
te verlaten. Dat heb je niet verdiend.' Ze haalde diep adem en
wachtte even, alsof ze moed verzamelde verder te gaan. 'Ik
heb net een crematie achter de rug', vervolgde ze ten slotte.
'Een week geleden is mijn vader onverwachts gestorven.'
Geschrokken keek Benders haar aan. Hij zocht naar een geschikt
antwoord, maar bleef haar als een stom dier aanstaren.
'Ik vind dit verschrikkelijk voor je, Nikka. Ik......'
'Het is goed, Frank. De dood van mijn vader was een schok.
Ik hield van hem. Hij kreeg een hartaanval, maar hij was zes-
entachtig en altijd kerngezond geweest. Daar kan ik mee ver-
der. Waar ik niet verder mee kan, is mijn dochter te moeten
verliezen. Haar wil ik niet kwijt.'
Benders knikte. 'Ik hoorde van Femke dat je slaande ruzie met
haar hebt gehad', zei hij. 'Het zit me niet lekker dat ik de aan-
leiding daartoe was.'
'Dat is onzin. Jij was de stok waarmee ze kon slaan, meer niet.
Ze vindt altijd wel een aanleiding om mij te terroriseren. Versta

me goed, ik neem haar dat niet kwalijk. Mireille is ziek. Ze heeft hulp nodig. Dat is de reden dat ik mijn baan eraan geef en mijn relatie met jou verbreek. Hoezeer me dat ook spijt, maar ik kan niet anders. Ik wil er zijn voor haar. Dag en nacht.'

Benders voelde dat hij zich opwond over Nikka's vergevingsgezindheid.

'Dus jij vergooit je carrière om thuis met een kopje thee te zitten wachten tot dochterlief langskomt om je huid vol te schelden. Lekker toekomstbeeld.'

'Ik koester wat ik lief heb, Frank. Mijn carrière is daar ondergeschikt aan. Dat jij dat te laat hebt ingezien is jouw probleem, maar ik pas ervoor.'

'Dat is een rotopmerking.'

'Sorry. Ik wilde je niet kwetsen, maar je vroeg erom.'

Ze zwegen. Benders stond op uit zijn stoel. Hij probeerde zijn teleurstelling te verbijten, maar slaagde daar nauwelijks in. Hij liep naar het raam en was er getuige van hoe een kauw op de rand van de dakgoot een jonge merel aanviel. In een poging een einde te maken aan de ongelijke strijd tikte hij tegen het raam. De kauw blikte brutaal naar binnen, waarop de merel zijn kleine vleugels spreidde. Tevreden keek hij toe hoe de jonge vogel omhoog wiekte en draaide zich van het raam. 'Het spijt me dat ik zo bot tegen je deed, maar ik heb er moeite mee dat je weggaat.'

Nikka knikte. 'Ik doe dit niet moeiteloos, Frank,' zei ze vergevend, 'maar soms moet je keuzes maken waarbij je de pijn voor lief moet nemen.'

Benders keek haar aan. Er was een last van haar af gevallen, zag hij. Ze oogde meer onspannen dan dat hij binnenkwam. 'Waar ga je naartoe?'

'Ik heb een appartement gekocht in Rotterdam. Mireille wordt daar tijdelijk opgenomen in een psychiatrisch centrum dat gespecialiseerd is in verslavingszorg. Ik heb er alle vertrouwen in dat ze daar in goede handen is. Verder heb ik geregeld dat Rob kan worden overgeplaatst naar een verpleegtehuis in Schiedam, zodat ook hij binnen redelijke afstand te bereiken is.'

Benders knikte. Rob was de man van Nikka. Tien jaar geleden raakte hij in coma na een verkeersongeval. Nadat hij daar na zeven maanden uitkwam, beschouwden de artsen dat als een medisch wonder. Sindsdien was hij een wrak. Een kasplant die zonder medische zorg gedoemd is te sterven. Ooit had Nikka hem over haar twijfels verteld. Over de zin van zijn bestaan en de rol die zij nog speelde in zijn leven.

'En wat ga jij doen? Heb je daar een baan?'

Nikka schudde haar hoofd. 'Een baan is voor mij voorlopig taboe', zei ze. 'Ik ga me wat meer toeleggen op het schilderen en verder zie ik wel wat de toekomst brengt.'

Benders stond op. 'Ik wens je natuurlijk veel succes,' zei hij, 'en ik respecteer je besluit, maar ik zal je missen.'

Nikka kwam ook uit haar stoel en stond toe dat Benders haar omarmde.

'Ik vind dat je je goed opstelt met dit alles', zei ze.

Benders staarde voor zich uit. In de stilte die volgde vroeg hij zich af hoe waar dat was.

'Wil je dat ik je op de hoogte houd van het onderzoek?'

'Ik zou dat wel op prijs stellen. Hebben jullie al iets tastbaars?'

Benders schudde zijn hoofd. 'Nog niet echt', antwoordde hij. 'Er gaan geruchten dat er tussen de beheerder van de manege en Ilse van Dronkenoord iets gaande was. Ook is er een paar maanden voor de moorden een man zonder aanwijsbare reden in het dorp komen wonen. Hij huurde een volkstuin achter de woning van Van Dronkenoord om een aantal dagen na de moorden de huur weer op te zeggen en het dorp de rug toe te keren. Verder zijn we erachter gekomen dat Van Dronkenoord in de oorlogsjaren een verzetsheld is geweest, maar dat kun je natuurlijk nauwelijks iets tastbaars noemen.'

Nikka keek hem aan en schudde langzaam haar hoofd. 'Het is niet zo dat alle mensen die in het verzet hebben gezeten helden waren', zei ze. 'In veel gevallen was zelfs het tegendeel het geval.'

'Maar Van Dronkenoord is geridderd.'

'Dat was prins Bernhard ook, maar dat maakte hem voor mij nog niet tot een held.'

Benders keek haar ongelovig aan, maar besefte dat ze gelijk kon hebben. Daarna nam hij afscheid van de vrouw die hem die hem zo dierbaar was geworden.

12

De volgende dag om elf uur verliet Benders de vergaderruimte. Na het werkoverleg was hij tot de slotsom gekomen dat de
verhoren die hadden plaatsgevonden, nauwelijks iets hadden
opgeleverd. Hij hield Paula in de gang staande en vroeg haar
om het album dat ze uit de woning van Van Dronkenoord had
meegenomen.
'Wat denk je daarin te kunnen vinden?', vroeg ze. 'Ik heb het
zelf ook doorgenomen, maar heb niets kunnen ontdekken dat
in verband kan worden gebracht met de moord op Van
Dronkenoord.'
'Toch wil ik het inkijken', zei hij. 'Al is het maar om mijn
nieuwsgierigheid te bevredigen.'
'Het zijn hoofdzakelijk foto's en wat krantenberichten waaruit blijkt dat Van Dronkenoord een gevierd man is geweest.'
Hij liep met Paula mee naar haar kantoor en wachtte gedul-
dig tot ze het boekwerk uit een lade had gepakt.
'Denk jij dat de moord iets met zijn oorlogsverleden te maken
kan hebben?'
Benders schudde zijn hoofd. 'Het is nog te vroeg om daarmee
te speculeren,' zei hij, 'maar we mogen het ook niet uitsluiten.'
Paula gaf hem het album en duwde de lade weer dicht. 'Ik heb
daar ook met Tjeerd over gesproken', zei ze vervolgens. 'Tjeerd
vertelde mij een verhaal over een man uit zijn geboorteplaats.
Die was aangesloten bij een verzetsgroep, maar had ook een
leerfabriekje en leverde koppels aan de *Wehrmacht*. Toen zijn
medestrijders daarachter kwamen, staken ze zijn fabriek in brand
en liquideerden de man. Maar na de oorlog toonde een onderzoek aan dat hem niets viel te verwijten. Hij had het geld dat
hij verdiende met de levering van de koppels volledig gebruikt
om het verzet te financieren.'

Benders bladerde door het album. 'Dat zijn natuurlijk vrese- lijke verhalen', reageerde hij ondertussen. 'Maar in een oor- log overheerst nou eenmaal altijd de chaos. Weet jij wie deze vrouw is?'

Paula keek over zijn schouder mee. 'Ik denk dat dat een vrien- din van Van Dronkenoord is geweest. Verderop is een foto, waarop ze met hem gearmd staat.'

Achter in het boek ontdekte Benders de foto waarop Paula doel- de. Van Dronkenoord stond in een innige omarming met de vrouw van de andere foto. Ze waren nog jong. De blik van Van Dronkenoord liet er geen twijfel over bestaan gek te zijn op zijn vriendin.

'Is dit meisje zijn vrouw geworden?', vroeg Benders nieuws- gierig.

Paula schudde haar hoofd. 'Daar waren wij natuurlijk ook benieuwd naar,' zei ze. 'Maar er is geen sprake van dat hij met deze vrouw is getrouwd. We hebben de foto's vergeleken met de vrouw op zijn trouwfoto. Ze leken geen spat op elkaar.'

Benders sloeg het album dicht. Waarschijnlijk had Paula gelijk dat hij hier geen bruikbare aanknopingspunten in zou vinden. Toch besloot hij het album mee te nemen.

'Willen jij en Peter vanmiddag bij Langedijk langsgaan? Ik ben daar gistermiddag niet aan toegekomen. Langedijk is ook lid van de volkstuinvereniging. Ik vraag me af of deze man familie is van de beheerder van de manege of dat het louter toeval is dat zij dezelfde naam dragen.'

'Dan kan ik je alvast uit de droom helpen', zei Paula.

Benders keek haar verbaasd aan. 'Weet jij het antwoord dan al?'

Paula knikte. 'Het was mij ook opgevallen, maar Tjeerd ont- dekte onmiddellijk dat de Langedijk van het volkstuinencom- plex, in tegenstelling tot de Langendijk van de manege, zon- der "n" wordt geschreven.'

'Shit.'

'Iets dergelijks zei ik ook, maar Tjeerd is nou eenmaal scherp in die dingen.'

'Dat is een goede eigenschap voor een rechercheur .'

'Dat kan wel zijn, maar ik word er ook wel eens stapelgek van.'

Benders keek haar vragend aan. 'Hoezo?'

Paula wees naar het album. 'Om erachter te komen hoe zuinig Van Dronkenoord daarop is geweest, controleerde hij de kaft met een vergrootglas op beschadigingen. Dat soort dingen gaan mij te ver.'

Benders lachte. 'Mij ook,' bekende hij, 'maar soms werpt het zijn vruchten af.'

Hij nam het plakboek onder zijn arm en verliet het kantoor van Paula. In de gang liep hij Tjeerd Kootstra tegen het lijf. Hij zag onmiddellijk dat er iets mis was met de jonge rechercheur.

'Ik heb Paula zojuist gevraagd of jullie bij Langedijk langs willen gaan', zei hij. 'Hij is onze laatste hoop op een bruikbare tip.'

'Daar zou jij toch naartoe gaan?'

Benders schudde zijn hoofd. 'Daar heb ik geen tijd voor. Ik ga vanmiddag naar Amsterdam om Van Engelsen op te zoeken.'

'Wat jij wilt', reageerde de Fries nors. Hij wilde doorlopen, maar Benders hield hem aan zijn schouder staande.

'Wat is het probleem?'

'Hoezo?'

'Je kijkt als een stier.'

'Dat moet ik toch weten.'

'Dat is wel zo, maar ik moet ertegenaan kijken.'

Kootstra trok met zijn mond. 'Wen er maar aan', zei hij. 'Voorlopig blijf je mijn collega.'

'Heb ik wat gemist?'

'Welnee. Ze hebben me alleen maar afgewezen. Dat is alles.'

Benders hoorde zijn cynisme. 'Hoezo afgewezen?'

'Ik heb gesolliciteerd,' verklaarde hij, 'maar er is een negatief advies afgegeven vanuit dit bureau. Ik zou nog in een leerproces zitten. Regio Utrecht achtte het niet raadzaam dit proces te verstoren.'

Benders vloekte inwendig. Hij verweet zichzelf hierover niet met Nikka te hebben gesproken, maar vroeg zich tegelijkertijd af of dit wat zou hebben uitgehaald.

'Ik vind dit natuurlijk klote voor jou,' zei hij, 'maar probeer je erin te schikken. Jouw kans komt heus wel.'

'Maar ik wil Ayse niet kwijt.'

Benders knikte begrijpend en zag de wanhoop van zijn jonge collega. 'Zal ik met Ayse praten?'

Kootstra keek hem dankbaar aan. 'Als je dat zou willen doen, graag', zei hij.

Benders zegde hem toe op korte termijn zijn belofte na te komen en verliet het bureau. Eenmaal buiten haalde hij diep adem. Het speet hem niet dat Kootstra voorlopig voor het team behouden bleef, maar hij begreep dat dit een egoïstische gedachte was.

*

Van Engelsen woonde in een galerijflat aan de Reizigersweg in Amsterdam Noord. Benders zag zich door een defecte bel genoodzaakt op de deur te kloppen. Enkele ogenblikken later verscheen een man in de deuropening. Zijn blik verraadde een grote onverschilligheid.

'Wat moet je?', vroeg hij met rauwe stem door de nauwelijks geopende deur.

'U bent de heer Van Engelsen?', vroeg Benders.

De ander knikte nauwelijks merkbaar. 'Ja,' antwoordde hij, 'is dat soms strafbaar?'

Benders probeerde de walm van drank te ontwijken en schudde zijn hoofd.

'Niet in het allerminst', zei hij. Hij pakte zijn politiepas en verklaarde zijn komst. 'Het hoeft niet lang te duren', beantwoordde hij de blik van onwil.

Van Engelsen zuchtte en maakte de deur verder open.

'Ik heb anders niets te maken met dat gedoe', liet hij Benders weten. 'Knoop dat goed in je oren.'

Benders nam plaats in een woonkamer die evenals zijn bewoner een sfeer van onverschilligheid uitademde. De spaarzame meubels leken zonder enige logica te zijn neergezet. Op een eiken buffetkast uit de zestiger jaren stond een verzameling stoffig glaswerk. Tegenover hem hingen provocerende posters waarop nazikopstukken als Göring en Himmler arrogant de ruimte in keken. Daaronder, op een hoge zwarte sokkel, stond een bronzen buste van Hitler.

Van Engelsen stak een sigaret op en keek zijn bezoeker uitdagend aan, maar Benders reageerde niet. Hij was niet van plan zich te laten provoceren en ging over tot het doel van zijn komst.

'Hebt u de heer Van Dronkenoord persoonlijk gekend?', begon hij.

Van Engelsen schudde zijn hoofd. 'Nee', antwoordde hij. 'Nooit eerder van gehoord.'

'U hebt gedurende een korte periode een volkstuin gehad die grensde aan de achterkant van de woning van het slachtoffer', ging Benders verder. 'Vanaf die positie had u goed zicht op wat zich daar afspeelde. Hebt u daar bij toeval, in de periode dat u in de tuin aan het werk was, tijdens of voor de moord op Van Dronkenoord iets waargenomen dat achteraf het vermelden waard zou kunnen zijn?'

'Nee, niets', antwoordde Van Engelsen beslist. 'Ik heb daar nooit iets opvallends gezien. Ik kwam daar om te werken. Niet om te gluren.'

Benders verborg zijn irritatie. Het stoorde hem dat de man geen enkele moeite leek te nemen om na te denken over zijn antwoorden. Alsof het er allemaal niet toe deed.

'U koos er voor om vanuit de stad naar het dorp te verhuizen, maar besloot na drie maanden dat dorp weer te verruilen voor de stad. Had u daar een speciale reden voor?'

'Ik had het gewoon gezien in dat godvergeten gat. Iedereen weet daar alles van iedereen.'

'U bedoelt te zeggen dat het hele dorp ervan wist dat u een alcoholist en een fascist bent.'

De kleine varkensogen van Van Engelsen vernauwden zich. Benders verwachtte dat er een woede-uitbarsting zou volgen. Maar die bleef uit.

'Ik ben eraan gewend dat mijn levenswandel niet geliefd is, maar dat kan mij niet schelen. Ik sta voor mijn zaak.'

'Van Dronkenoord zat tijdens de oorlog in het verzet. Wist u daarvan?'

'Ik zei u al eerder dat ik niet eerder van de man had gehoord.'

'Merkwaardig als je in een dorp woonde waar iedereen alles van iedereen weet.'

Van Engelsen drukte met een nijdig gebaar zijn sigaret uit. Benders zag dat zijn handen trilden en vroeg zich af of dat het gevolg was van overmatig drankgebruik of dat de zenuwen hem parten speelden.

'Je moet niet zo ouwehoeren', sneerde hij. 'Als ik je vertel dat ik niet eerder van die man heb gehoord dan moet je me op mijn woord geloven. Ik mag er in jouw ogen misschien verwerpelijke opvattingen op nahouden, maar dat wil nog niet zeggen dat ik een leugenaar ben.'

Benders hoorde Van Engelsen piepend ademhalen en zag de verontwaardiging in zijn blik. Hij vroeg zich af of dit wel of niet oprecht was.

Hij gokte op het eerste. 'Goed,' zei hij, 'ik zal eerlijk tegen u zijn. Ik ben op zoek naar sporen die kunnen leiden naar de moordenaar op Van Dronkenoord en zijn kleindochter. U bent een fascist en het slachtoffer was een verzetsheld. Dat zou een motief kunnen zijn.'

'Je bent hier dus naar toegekomen met de gedachte dat ik de dader wel eens kon zijn?'

'Ik ben hier in verband met het onderzoek op twee moorden. Niet meer en niet minder.'

Van Engelsen bleef Benders met onverhulde aversie aankijken.

'Mijn vader was al ver voor de oorlog uitbrak een overtuigd nationaal-socialist', begon hij ongevraagd. 'Hij heeft tijdens de oorlog vrijwillig aan de kant van Hitler gevochten en veel moed getoond. Ik was trots op hem. Maar er is geen straat naar hem vernoemd. Erger nog, ze hebben hem direct na de bevrijding als een straathond afgeschoten. Vlak voor de ogen van mijn moeder. Dat ze nu een zogenaamde verzetsheld hebben neergeknald, juich ik dus alleen maar toe. Maar versta me goed! Ik heb daar niets mee te maken. Helemaal niets.'

'Waarom zegt u "zogenaamde" verzetsheld?', vroeg Benders geïrriteerd.

'Omdat het geen helden waren. Het waren hooguit naïeve avonturiers. Ze wisten amper waarvoor ze stonden.'

'U slaat dan gemakshalve maar over dat we aan het verzet tegen de vijand uiteindelijk onze herwonnen vrijheid te danken hebben.'

Van Engelsen begon te grijnzen. 'Ja,' schamperde hij, 'en kijk eens wat er met deze vrijheid is gedaan. Oudere mensen durven in het donker de straat niet meer op. Onze jongeren worden de vernieling in geholpen door de drugsmaffia. Die verdomde homo's hebben hier voor een ware aidsepidemie gezorgd en over tien jaar heeft dit land een moslimregering. Jij denkt toch niet dat onze *Führer* het zover had laten komen.'

Benders keek de man minachtend aan en stond op uit zijn stoel. Hij voelde niet verder de behoefte met de verwrongen geest tegenover hem in discussie te gaan.

'Ik wil van u horen waar u zich bevond op de avond van de moord tussen 18.00 en 21.00 uur', gebood hij hard.

Van Engelsen trok zijn schouders op. 'Ik zou dat niet meer weten', zei hij. 'Waarschijnlijk thuis. Er viel in dat verdomde gehucht weinig te stappen.'

'Ik zou willen dat u daar nog eens over nadenkt. Mocht u nog een helder moment krijgen, hoor ik dat graag van u.' Benders gaf hem tegen beter weten in zijn kaartje en nam afscheid.

Eenmaal buiten wond hij zich op over het feit dat hij Van Engelsen niet harder had aangepakt. Hoewel hij de kans dat deze aan alcohol verslaafde man de nazistische leer nog kon uitdragen verwaarloosbaar achtte, had hij die verdomde fascist toch op zijn minst zijn standpunt kunnen laten horen.

Met een nijdig gebaar trok hij het portier van zijn auto dicht en verliet met slippende banden de parkeerplaats. Eenmaal op weg naar het bureau hervond hij zijn kalmte. Hij dacht na in hoeverre het reëel was Van Engelsen als dader te zien. Iemand die drie gerichte schoten afvuurde en vervolgens een meisje op een fiets te voet achtervolgde, moest over een uitstekende conditie beschikken. Van Engelsen deed dat niet. Hij was kortademig en Benders had gezien dat zijn handen trilden. Wat overbleef was dat hij over een duidelijk motief beschikte.

Zijn gedachtestroom werd onderbroken door de telefoon. Het was Paula.

'Ben jij al bij Van Engelsen langsgeweest?', vroeg ze Benders hoorde onmiddellijk dat ze gespannen was.

'Ik kom er zojuist vandaan', zei hij. 'Waarom vraag je dat?'

'Wij zijn bij Langedijk geweest. Volgens hem houdt Van Engelsen er rechts-extremistische ideeën op na. Langedijk vond hem een gevaarlijke man. Hij zei dat het hem niet speet dat die fascist het dorp had verlaten.'

'Dat klopt inderdaad', beaamde Benders. 'Van Engelsen maakt er geen geheim van dat hij de nazistische leer omarmt, maar gevaarlijk vind ik hem niet. Ik zou hem eerder als een oude dwaas met een drankprobleem willen omschrijven.'

Benders hoorde een zucht aan de andere kant van de lijn. Blijkbaar

had Paula zich zorgen gemaakt over zijn bezoek aan Van Engelsen.
'Zijn jullie nog wat wijzer geworden?'
'Niet echt', antwoordde Paula. 'Langedijk was al in geen weken meer bij de tuin geweest.'
'Wat is het voor een man?'
'Een oud-politieman die in Amsterdam werkte en na zijn pensionering de stad voor het platteland verruilde. Het is een vriendelijke man en leek nogal ontdaan over het gebeurde. Hij vertelde dat hij Ilse van Dronkenoord meerdere keren had gezien wanneer ze een bezoek aan haar opa bracht. Bij die gelegenheid heeft hij haar ook een keer gesproken en omschreef haar als een aardig en spontaan meisje.'
'Hoelang was dat geleden?'
'Ongeveer een halfjaar, maar hij herinnerde zich nog goed dat ze toen honderduit over haar paard had gesproken.'
'Over Daska?'
'Dat zei hij niet. "Over haar paard", zei hij.'
'Kende hij Tom van Dronkenoord ook?'
'Ja. Hij was ervan op de hoogte dat hij aannemer was geweest en dat hij tijdens de oorlog een rol in het Velser verzet speelde.'
'Goed', zei Benders. 'Dat weten we dan.' Hij verbrak de verbinding en dacht na over de geridderde verzetsheld "Niet alle verzetsmensen waren helden", had Nikka gezegd. "Vaak was zelfs het tegendeel waar." Benders vroeg zich af of deze stelling de sleutel voor de poort naar de waarheid kon zijn. Eerder had hij dat onwaarschijnlijk gevonden, maar nu was hij daar niet meer zo zeker van.

13

John schrok op van het plotselinge geluid van de telefoon. Het was al bijna half twaalf. Wie kon zo laat nog bellen? Misschien kon hij hem beter laten gaan. Het kon de politie zijn. Politiemannen houden zich niet aan vaste tijden. Ze konden je te pas en te onpas uit huis halen, om je vervolgens aan een uitputtend verhoor te onderwerpen. De overrompelingstechniek. Hij had het zo vaak op de televisie gezien. Hoe ze over verdachten heen walsten met hun valkuilvragen. Met vuisten op tafel sloegen. Felle lampen in hun ogen schenen. Ze toeschreeuwden of zalvend op hen inpraatten. "Beken nu maar. Het heeft geen zin om langer te zwijgen. Er zal een last van u afvallen. Vroeg of laat komen we er toch wel achter." Beproefde methodes, met als doel de verdachten op de knieën te krijgen. Maar dat zou ze bij hem niet lukken. Hij zou niets loslaten. Moeder kon hem immers niet missen.

Het geluid van de telefoon stopte. John haalde opgelucht adem. Hij had zich laten gaan. Er was geen reden zich zo druk te maken. Ze hadden niets. Helemaal niets.

Hij stond op uit zijn stoel en besloot naar bed te gaan. In de spiegel van de badkamer keek hij naar zijn gezicht. Hij had het gezicht van zijn moeder. Dezelfde ogen. Dezelfde mond. Hij boog zich naar voren. Het witte licht van de plafondspots registreerde feilloos de diepe lijnen. Ik word oud, dacht hij bezorgd. Hij wendde zich van de spiegel af, alsof hij de vergankelijkheid van zijn bestaan wilde ontlopen. Juist voordat hij zijn scheerspullen wilde pakken, hoorde hij te telefoon voor de tweede keer overgaan.

Ineens voelde hij de onrust weer. Met een ruk draaide hij zich om en liep terug naar de slaapkamer. Hij haalde diep adem en nam de hoorn van het toestel. 'Ja?'

'Met mij.'

Geschrokken staarde hij naar de grond. Op deze stem was hij niet voorbereid.

'Vertel het maar.'

'Ik wil met je praten.'

'Praten waarover?'

'Dat weet je wel.'

'Wil je dat ik langskom?'

'Alsjeblieft.'

'Ik kom eraan.'

De ander verbrak de verbinding. John ging op de rand van zijn bed zitten en dacht na.

Toen nam hij een besluit.

14

Benders zat thuis languit op de bank en bladerde door het plak-boek van Tom van Dronkenoord. Het was hem al eerder opge-vallen dat het album met grote nauwkeurigheid was samen-gesteld. Van Dronkenoord was blijkbaar een geordend man geweest. De krantenknipsels waren voorzien van een handge-schreven tekst waarin datum en bron stonden vermeld. De kran-tenberichten handelden hoofdzakelijk over verzetsdaden. Een postkantoor dat was overvallen. Diverse sabotagepraktijken. Een politiebureau waar verzetsmensen midden in de nacht waren binnengedrongen en wapens hadden buitgemaakt. Vermoedelijk allemaal acties, waaraan Van Dronkenoord actief had deelge-nomen.

Benders dacht na. Misschien zou het de moeite lonen om in de archieven na te gaan welke mensen aan deze daden van verzet hadden meegewerkt. De kans dat deze mensen nog in leven waren, was klein. Ze moesten toen rond de twintig zijn geweest.

Benders schudde zijn hoofd. Zolang hij nog geen zekerheid had over het nut van dit soort tijdrovende onderzoeken deed hij er beter aan hier nog geen energie in te steken. Hij blader-de door en passeerde de foto's en krantenverslagen die waren gemaakt op de dag dat Van Dronkenoord werd geridderd. Benders zag zijn trots. Van Dronkenoord leek allesbehalve een beschei-den man. De uitdrukking op zijn gezicht liet er geen twijfel over bestaan dat hij van mening was, dat deze hoge onder-scheiding hem toekwam.

Verder in het album zag hij weer de foto van de vrouw van wie Paula hem al duidelijk had gemaakt dat zij niet de echt-genote van Van Dronkenoord was geworden. *Elena, septem-ber 1944,* stond er in verzorgd handschrift onder geschreven. Verder niets.

Benders bestudeerde de jonge vrouw nauwkeurig. Hij verbeeldde zich haar eerder te hebben gezien, maar besefte de onwaar-
schijnlijkheid daarvan. Ze had donker haar en stralende ogen.
Een mooie vrouw. Als dit de vriendin van Van Dronkenoord
was geweest, kon hem in ieder geval een goede smaak niet
worden ontzegd.

Benders sloeg het album dicht en stond op uit zijn stoel om
de televisie aan te zetten. Hij wilde naar het journaal van tien
uur kijken, maar zag op de klok dat dit al tien minuten aan de
gang was. Hij drukte snel de aan-toets in. De nieuwslezer meldde hevige onlusten in Frankrijk. Studenten waren slaags geraakt
met de politie. De beelden lieten zien hoe de mobiele eenheid
op niet mis te verstane wijze inhakte op groepen jongeren die
hun ongenoegen uitten over het nieuwe ontslagbeleid van de
regering. De correspondente uit Parijs liet een jonge studente
aan het woord van wie haar vriend zojuist zwaargewond was
afgevoerd door een aanvaring met de bereden politie. Ze vertelde in tranen dat de agent het speciaal op haar vriend had
gemunt en hem bewust onder de voet had gereden.

Benders kon zien dat het meisje zelf ook de nodige klappen
had moeten incasseren. Haar kleding was gescheurd en haar
rechteroog opgezwollen. Hij schudde ongelovig zijn hoofd.
Het is in Frankrijk al niet anders dan in Nederland, dacht hij
opstandig. De politie heeft het altijd gedaan.

Nadat de weervrouw had laten weten dat de wind de volgende dag zou gaan liggen en de temperaturen zouden stijgen,
schakelde Benders het televisietoestel uit. Vervolgens trok hij
de stekker uit zijn vaste telefoon. Deze avond en nacht wilde
hij niet meer gestoord worden. Hij had zich voorgenomen op
tijd naar bed te gaan. De komende tijd zou er een beroep worden gedaan op zijn uithoudingsvermogen. In deze zaak, vreesde hij, zou hij tot het uiterste moeten gaan om tot een oplos-
sing te komen en daarvoor zou hij al zijn energie moeten sparen.. Hij had nog geen enkel aanknopingspunt waar hij zich

in kon vastbijten. Of het moest de vrouw zijn die hij zojuist in het album had gezien, maar de waarschijnlijkheid daarvan trok hij ook in twijfel. Toch liet deze gedachte hem niet los.

*

De volgende ochtend werd Benders wakker van een geluid dat hij niet kon duiden. Hij ging rechtop in bed zitten en keek opzij naar zijn wekker. Het was tien minuten over zeven. Voordat hij erachter kwam welk geluid hem uit zijn slaap had gewekt, was het gestopt. Hij wreef in zijn ogen en bedacht dat het zinloos zou zijn nu nog te proberen om te gaan slapen. Hij had nog maar tien minuten voordat hij op moest.

Hij besloot om uit zijn bed te stappen. Nog half slaperig liep hij naar het raam. Zodra hij de gordijnen had opengeschoven, ontdekte hij wat hem had gewekt. Aan de overkant van de straat waren bouwvakkers begonnen aan de renovatie van een flatgebouw. Wat hij had gehoord was het draaien van een betonmolen. Benders besefte dat hij de komende tijd wel meer door de molen gewekt zou worden en geërgerd schoof hij de gordijnen weer dicht.

Nadat hij zich had gedoucht en geschoren, besloot hij de berichten op zijn mobiel na te kijken. Hij zag onmiddellijk dat Paula hem meerdere keren had geprobeerd te bereiken. Nieuwsgierig toetste hij haar nummer in. Hij hoopte niet dat de boodschap al te ernstig was, maar de herhaalde pogingen om hem te bereiken deden het ergste vrezen.

'Met Paula.' Ze klonk opgewonden.

'Met Frank. Je hebt me gebeld. Wat is er aan de hand?'

Het duurde even, voordat er een reactie kwam. Benders keek naar buiten en zag aan de bomen dat het vrijwel windstil was.

'Sorry', zei Paula een ogenblik later. 'Ik liet mijn mobiel vallen. Waar was je in vredesnaam?'

Benders hoorde haar verwijt.

'Ik was gewoon thuis', antwoordde hij.

'Waarom nam je dan niet op?'

'Vertel me liever wat er aan de hand is.'

'Marlies van Dronkenoord is dood.'

Benders was klaarwakker. 'Marlies is dood?', herhaalde hij verbaasd. 'Wat is er dan gebeurd…?'

'Waarschijnlijk is het zelfmoord. Er stond een leeg medicijnpotje op haar nachtkastje. Volgens haar huisarts waren het zware medicijnen. De inhoud was nog van recente datum.'

'Wie heeft haar gevonden?'

'Haar zus. Zij heeft ons gebeld.'

'Maar….?'

'Kom hier nou maar naartoe.'

Paula verbrak de verbinding. Benders staarde naar buiten. De bouwvakkers hadden de betonmolen weer in gang gezet. Alsof ze uit respect hadden gewacht tot het slechte bericht was doorgegeven.

Benders legde de hoorn terug op het toestel. Hij kon nauwelijks geloven wat hij zojuist had gehoord.

*

Charlotte opende de deur en liet hem binnen. Benders condoleerde haar met het overlijden van haar zus.

'Het kwam voor ons volkomen onverwacht', zei ze, nadat ze met Benders aan de keukentafel was gaan zitten. 'We dachten juist dat het weer beter met haar ging.'

Benders knikte. 'U hebt haar gevonden', zei hij. 'Hoe laat was dat precies?'

'Vanmorgen om kwart over acht. We zouden vandaag gaan winkelen in Amsterdam. Ik belde half acht om Marlies te wekken. Dat hadden we afgesproken. Marlies sliep vanwege haar medicijnen de laatste tijd nogal vast. Maar toen ze op mijn herhaaldelijk bellen niet reageerde, werd ik ongerust en besloten we naar haar huis te rijden.'

Benders keek om zich heen.'Met we, bedoelt u uzelf en uw man?'

Charlotte beaamde dat. 'Mijn man is weer naar huis', verklaarde ze. 'De hond kan er niet tegen te lang alleen te zijn.'

'Hoe bent u binnengekomen?'

'We hebben een sleutel. Na wat er allemaal is gebeurd, vond Marlies het een veilig idee dat wij in huis konden komen.'

Benders keek de vijf jaar oudere zus van Marlies onderzoekend aan. Hij zag geen spoor van emotie. Een week geleden had hij haar voor het eerst ontmoet en herinnerde zich hun gesprek over de moeizame relatie die Marlies had met haar dochter. Charlotte vertelde hem toen dat ze had gedacht dat het wel weer goed zou komen tussen die twee. Dat het een zaak van tijd was. Benders besefte nu hoe pijnlijk het was dat hen die tijd niet was gegund.

'Hebt u onmiddellijk de politie gebeld?'

'Ik heb als eerste dokter Van der Mey gebeld', antwoordde Charlotte. 'Hij beloofde meteen te komen en adviseerde mij toen ook om jullie op de hoogte te brengen.'

Benders knikte. 'Ik zal u niet langer ophouden, mevrouw Vergeer,' zei hij, 'maar later deze week zou ik graag nog eens met u willen praten over uw zus.'

'Dat is prima, maar mag ik u wat vragen?'

'Gaat u gang.'

'Denkt u dat de zelfmoord van Marlies in verband zou kunnen staan met de moorden op Tom en Ilse?'

'Waarom vraagt u zich dat af?'

'Ik weet het niet. Het is een gevoel. Maar misschien wordt dat versterkt door jullie aanwezigheid.'

Benders keek om zich heen. De bedrijvigheid in huis verschilde inderdaad in niets van die bij een moordonderzoek.

'Bij zelfdoding is het gebruikelijk dat wij worden ingeschakeld', zei Benders. 'Daar hoeft u geen conclusies uit te trekken.'

Charlotte knikte. 'Ik begrijp het', zei ze verontschuldigend.

Benders stond op van zijn stoel en liep naar dokter Westphal. De schouwarts leek juist van plan het pand te verlaten en knikte naar Benders. 'Wat ben jij laat', zei hij verontwaardigd.

'Ik sliep nog ', loog Benders. 'Ik hoorde de telefoon niet.'

Westphal bleef hem een ogenblik zwijgend aankijken, alsof hij overwoog de smoes van de inspecteur voor lief te nemen. 'Ik denk niet dat de vrouw door een misdrijf om het leven is gekomen', zei hij ten slotte. 'Tot nog toe wijst alles erop dat het hier om zelfdoding gaat.'

'Hebt u daar met uw collega nog over gesproken?'

Westphal knikte. 'Volgens haar huisarts slikte Marlies al jaren antidepressiva. We vermoeden dat ze hiervan een overdosis heeft genomen.'

Benders liep met Westphal mee naar de hal en vroeg hem hoe zeker de schouwarts hierover was.

'Vrij zeker', antwoordde de dokter beslist. 'Ik heb daar met dokter van der Mey nog over gesproken. Gezien de voorgeschiedenis van Marlies komt haar keuze volgens hem niet als een verrassing. Eerder als een logisch gevolg.'

Benders knikte en keek de vertrekkende schouwarts na. Hij merkte dat hij de zojuist beweerde logica maar moeilijk kon delen.

*

'Laten we eens veronderstellen dat Marlies van Dronkenoord geen zelfmoord heeft gepleegd, maar om het leven is gebracht. Welke conclusie kunnen we daar dan uit trekken?'

Kootstra en Paula namen plaats in de bezoekersstoelen voor Benders' bureau. Ze waren zojuist teruggekeerd en keken hun chef ongelovig aan.

'Twijfel jij aan zelfmoord dan?', vroeg Kootstra verbaasd.

Benders schudde zijn hoofd. 'Dat zeg ik niet', zei hij. 'Ik probeer er alleen met jullie achter te komen of er gronden zijn die het aannemelijk maken dat Marlies van Dronkenoord kan zijn vermoord.'

'Er zijn natuurlijk altijd wel redenen te vinden', zei Paula. 'Maar wat schieten we daarmee op?'

'Nog niets', gaf Benders toe. 'Maar ik wil gewoon weten of moord een aannemelijke optie is.'

'Het kan zijn dat Marlies uit de weg moest worden geruimd, omdat ze een voor de dader gevaarlijke getuige was in de zaak Van Dronkenoord', opperde Kootstra.

'Maar ze heeft tegenover ons nog nooit iets verteld dat belastend kon zijn voor een eventuele dader', wierp Paula daar tegenin.

Kootstra trok zijn schouders op. 'Misschien heeft ze de dader willen chanteren', zei hij zonder overtuiging.

'Dat kan ik me slecht voorstellen', reageerde Paula. 'Maar het kan wel zo zijn, dat de dader haar al eerder had gedreigd te zullen doden als ze haar mond voorbij zou praten.'

Benders knikte. 'Dat zouden motieven kunnen zijn', beaamde hij.

'En wat ga je daarmee doen?', vroeg Paula.

'Daar moet ik over nadenken', antwoordde Benders.

'Is er al bekend wanneer er een nieuwe commissaris komt?' Met deze onverwachte vraag sloot Kootstra de discussie af.

Benders keek de jonge rechercheur aan en bedacht plotseling dat hij de belofte om met zijn vriendin te gaan praten nog niet had ingelost. 'Ik heb begrepen dat er volgende week een interim-commissaris komt,' antwoordde hij, 'maar wie dat wordt is mij niet bekend.'

'Waarom is commissaris Landman eigenlijk vertrokken?'

'Dat waren privé-omstandigheden.'

Kootstra en Paula bleven hem vragend aankijken, maar Benders deed er verder het zwijgen toe. Hij voelde niet de behoefte de vuile was van Nikka buiten te hangen.

'Als jullie het niet erg vinden, wil ik nu even alleen gelaten worden', zei hij. Paula knikte en verliet als eerste zijn kantoor. Kootstra bleef aarzelend staan.

'Wanneer ga je met Ayse praten?', vroeg hij.

Benders had op deze vraag gerekend. 'Kun je vragen of ze vanmiddag op het bureau langskomt?'

Kootstra knikte dankbaar. Hij pakte onmiddellijk zijn mobiel en maakte een afspraak.

'Wat ga je haar vertellen?', vroeg hij daarna aan Benders.

'Dat we jou eigenlijk niet kunnen missen, maar dat we jullie geluk niet in de weg willen staan door jou eeuwig hier te houden.'

'Ze staat erop dat we dit jaar nog gaan verhuizen. Probeer haar in ieder geval te laten geloven dat dat lukken gaat.'

Benders schudde zijn hoofd. 'Ik beloof alleen wat ik waar kan maken', zei hij.

Tjeerd knikte. Benders zag zijn teleurstelling.

Zodra de Friese rechercheur was vertrokken, stond Benders op. Hij keek op zijn horloge en schrok van de tijd. Een vluchtige blik in zijn agenda herinnerde hem eraan, dat hij nog een afspraak moest maken met de werkster van Van Dronkenoord. Hij had al meerdere pogingen gedaan de vrouw te bereiken, maar had telkens bot gevangen.

Benders toetste onmiddellijk haar nummer in, maar ook deze keer werd er niet opgenomen. Met het voornemen het later op de dag nog eens te proberen besloot hij naar de kantine te lopen om een broodje te halen. Hij had nog twintig minuten. Om half twee zou Ayse komen. Hij had geen idee wat hij tegen de vriendin van Kootstra moest zeggen.

In de kantine bladerde hij de krant door en vroeg zich ondertussen af waarom hij eigenlijk had aangeboden om met Ayse te praten. Het zou tot niets leiden.

Met een nijdig gebaar sloeg hij een pagina om. Zijn oog viel op een bericht over een jonge student die de dag daarvoor door de bereden politie was aangevallen en aan zijn verwondingen was bezweken. Er stond een foto bij van het meisje dat hij op het journaal had gezien. Zij was de vriendin van het slachtoffer geweest en ooggetuige van het ongeval dat tijdens de onlusten in de Franse hoofdstad had plaatsgevonden. Onder de foto las hij in de begeleidende tekst dat de jonge studente er alles voor over zou hebben om de betreffende politieman voor het gerecht te slepen.

Benders zag in de ogen van de jonge vrouw hoezeer ze dit meende en wenste in gedachten zijn Franse collega sterkte toe. Maar hoe het ook zou aflopen, dit proces zou uitsluitend verliezers opleveren. Uit de beelden die hij van de studentenopstand had gezien was duidelijk geworden, dat het van alle kanten uit de hand was gelopen. Zowel politie als rebellen waren de weg kwijtgeraakt in een spel, waarvan de inzet nauwelijks meer relevant leek te zijn. Zij of wij was het enige dat nog telde.

Benders sloeg de krant dicht en at zijn brood op. Daarna spoedde hij zich naar boven. Ayse zat al in zijn kantoor.

'Zit je hier allang?'
Ayse schudde zwijgend haar hoofd.
Nadat Benders haar een hand had gegeven en zich had voorgesteld, ging hij achter zijn bureau zitten. Hij wist niet hoe hij moest beginnen.
'Wil je iets drinken?'
'Doet u geen moeite.'
'Het is geen moeite. Ik......'
'Zegt u mij wat u mij te zeggen hebt. Dan ga ik weer.'
Benders schraapte zijn keel. Hij vond Ayse mooi. Achttien. Hooguit negentien. Fijne gelaatstrekken. Grote, donkere ogen. Ogen om in te verdrinken. De boodschap van Kootstra "Ik wil haar niet kwijt" werd hem duidelijk.
'Ik begreep van Tjeerd dat je heimwee naar je familie hebt en het liefst zo snel mogelijk richting Utrecht verhuist.'

Ayse knikte. 'Dit jaar nog. Als Tjeerd niet mee kan, ga ik alleen.' Haar blik was afstandelijk . Als van iemand zonder verwachtingen.

'Tjeerd kan hier voorlopig niet weg. Hij is een goede politieman. We kunnen hem nog niet missen.'

Er verscheen een onverwachte glimlach. 'Tjeerd had gelijk', zei ze toen zacht. 'U bent een eerlijke man. Kunt u echt niets voor hem doen?'

Benders bloosde. Haar warme glimlach had hem overdonderd. 'Tjeerd zal geduld moeten hebben', zei hij. 'Maar zijn tijd komt. Dat weet ik zeker.'

Ayse stond op en stak haar hand uit. 'Bedankt', zei ze.

Benders kwam uit zijn stoel en keek haar verwonderd aan. 'Bedankt waarvoor?', vroeg hij verbaasd. 'Ik stuur je met lege handen naar huis.'

Ze schudde haar hoofd. 'U hebt me overtuigd', zei ze. 'Ik zal geduld hebben.'

Benders keek haar na. Bij iedere stap danste het haar over haar smalle schouders. Hij wenste opnieuw jong te zijn.

Nadat hij weer was gaan zitten, zette hij de gebeurtenissen van de afgelopen uren op een rijtje. Hij besefte dat de onverwachte dood van Marlies van Dronkenoord een lelijke streep door zijn rekening had gehaald. Ineens dacht hij terug aan de woorden van Charlotte: "We dachten juist dat het weer wat beter met haar ging".

Benders pakte de telefoon. Hij wilde weten wat de zus van Marlies daarmee precies had bedoeld en maakte een afspraak met haar.

*

Die nacht kon Benders niet in slaap komen. Eerder op de avond had hij meerdere keren geprobeerd om Nikka telefonisch te bereiken, maar steeds werd er niet opgenomen. Uiteindelijk had hij haar voicemail ingesproken en gevraagd hem terug te bellen. Hij miste haar. Hun gesprekken. Haar lachen. Haar huilen. Haar lenige lijf, dat zich moeiteloos om het zijne nestelde. Haar "O, godskristus!!" als ze klaarkwam. De herinnering aan de laatste nacht, vier weken geleden, voelde als een eeuwigheid. Als een verre droom.

Hij stond op. Hij was bezweet Zijn winterdekbed moest eigenlijk worden verruild voor de zomerkwaliteit. Het plan om dat meteen te doen liet hij varen. Hij liep naar de woonkamer en schoof de gordijnen voor de balkondeuren open. Het was een heldere nacht. Even dacht hij eraan de deuren te openen en het balkon op te gaan, maar de buitenkou zou voor zijn bezwete, ontblootte bovenlichaam funest zijn. Hij kon het zich nu niet veroorloven een ziekte op te lopen.

Hij besloot een biertje uit de koelkast te pakken en ging tegenover de balkondeuren op de bank zitten. Terwijl hij zijn glas volschonk, staarde hij naar het album op de salontafel. Hij nam zich voor het boek de volgende dag mee te nemen naar Charlotte. Hij wilde weten of zij iets wist te vertellen over de vrouw op de foto. Hoewel hij daar, gezien de verstandhouding van Marlies met haar schoonvader, weinig hoopvol over was.

Hij zette zijn glas neer en pakte het album. Hij bladerde door tot de bewuste foto. De vrouw intrigeerde hem. Steeds meer kreeg hij het gevoel dat de rol, die zij in het leven van Van Dronkenoord moest hebben gespeeld, iets te betekenen had. Maar wat? Hij bestudeerde het portret en bedacht dat als de vrouw nog leefde ze nu rond de tachtig jaar moest zijn. Nog steeds meende hij iets bekends in haar te zien. Hij sloot peinzend het album en dronk zijn bier. Hij miste Nikka nog steeds.

*

De volgende morgen versliep Benders zich. Noch de wekker, noch de ratelende betonmolen aan de overkant had hem uit zijn slaap kunnen halen. Ondanks de gebroken nacht voelde hij zich wonderwel uitgerust. Eerder was hij wakker geworden uit een droom, maar kon zich die niet herinneren. Daarna was er lange tijd een verontrust gevoel bij hem blijven hangen. Waarom wist hij niet.

Hij keek op zijn wekker en zag dat het al tien voor half negen was. Het had geen zin meer zich te haasten. Hij was toch al te laat. Hij besloot zijn kamerjas aan te trekken en naar beneden te gaan om de krant te halen. Eenmaal buiten op de galerij voelde hij dat het die dag een mooie herfstdag zou worden. Terwijl hij de krant uit het postkastje pakte, ontdekte hij dat hij de post van de dag ervoor had laten liggen. Er lagen twee brieven en een aantal reclamefolders in het kastje. Hij pakte alles eruit en nam zich voor om binnenkort een sticker op de brievenbus te plakken met de tekst geen prijs te stellen op het ontvangen van reclame.

Eén envelop herkende hij onmiddellijk aan het logo van de politie. Waarschijnlijk het overzicht van zijn salaris van de afgelopen maand. Het handschrift van de andere brief herkende hij niet. Het was een goed verzorgd, cursief geschreven handschrift. Hij kreeg zelden brieven. Tegenwoordig was het de digitale post die de handgeschreven briefwisseling had overgenomen.

Eenmaal terug in zijn appartement opende hij als eerste de onbekende envelop. De boodschap verraste hem. Hij kwam van Nikka. Ze gaf hem haar adreswijziging door en liet weten dat het haar goed ging. Omdat haar computer nog in een verhuisdoos stond, had ze besloten hem een brief te schrijven. Binnenkort zou haar man worden overgebracht naar het verpleegtehuis in Schiedam en met haar dochter leek het de goede kant op te gaan. Ze eindigde met "liefs, Nikka".

Benders slikte en legde de brief in een kast. Na zijn deprimerende salarisoverzicht te hebben bekeken, pakte hij de krant. Hij las met stijgende verbazing dat de Servische regering er nog steeds niet in was geslaagd de van oorlogsmisdaden verdachte Ratko Mladic te traceren. Hij vloekte, schudde ongelovig zijn hoofd en las verder. In Frankrijk had de dood van de jonge student een ware rel ontketend. Studentenorganisaties eisten maatregelen van de regering. De agent die de jongen had overreden moest worden vervolgd en onmiddellijk ontslag worden aangezegd, vonden zij.

Benders vloekte voor de tweede keer en stond op. Juist voordat hij naar de keuken liep om zijn ontbijt klaar te maken ging de telefoon. Waar hij hoopte op Nikka was het Westphal. De schouwarts vertelde hem dat Marlies van Dronkenoord - zoals vermoed - was gestorven aan een overdosis antidepressiva. Hij vond om die reden zelfmoord nog steeds de meest aannemelijke optie.

Benders nam het bericht voor kennisgeving aan. 'Dat weten we dan ook weer', reageerde hij gelaten.

Hij verbrak de verbinding en besloot zich direct aan te kleden. Ontbijten zou hij wel op het bureau doen. Het was vijf voor negen. Voor vandaag had hij een afspraak met Charlotte Vergeer. Hij was benieuwd of de zus van Marlies de mening van Westphal deelde. Of zij de zelf verkozen dood van Marlies ook een aannemelijke optie vond.

15

John trok zijn jas uit en liep door naar de woonkamer. Hij voelde zich schuldig. Schuldig en opgelucht tegelijk. Het had niet anders gekund, besefte hij. Marlies wist te veel. Vroeg of laat zou ze hebben doorgeslagen. Dat was zeker. Hij zou dan worden opgepakt. De gedachte in dat geval niets meer voor Elena te kunnen betekenen was ondraaglijk. Er was geen andere keus geweest. Het was goed.

Hij besloot een glas whisky in te schenken en een cd van Cristina Branco op te zetten. De stem van deze Portugese zangeres maakte hem rustig. Rustig en kalm.

Even later zat hij in gedachten verzonken in zijn stoel. De klanken van de fado brachten hem in een melancholieke stemming. Hij dacht aan zijn moeder. Aan het moment dat hij haar voor de eerste keer ontmoette. Nu drie jaar geleden. Hij herinnerde zich die dag nog goed. Het was zomer. In de namiddag. Ze zat in haar achtertuin onder de linde en schilde aardappels. Zodra ze hem zag, liet ze van schrik haar mes vallen. Ze zei niets, maar hij zag onmiddellijk haar blik van herkenning. Alles was toen op zijn plaats gevallen. Het voelde als thuiskomen. Na meer dan zestig jaar. Alsof hij de dag ervoor de deur was uitgegaan. Die middag was het begin. En het einde.

Na dat eerste bezoek was het snel bergafwaarts met moeder gegaan. Alsof ze zijn komst had afgewacht. Alsof ze had besloten haar ziekte tot dat moment uit te stellen.

In de gesprekken, die hij later met haar voerde, werd hem stukje bij beetje duidelijk wat haar was overkomen. Ze sprak er niet graag over. "Wat gebeurd is, is gebeurd", zei ze steeds. Maar hij wilde het weten. Moest het weten. Lang genoeg had hij in het duister geleefd. Tijdens een van die bezoeken had ze haar dagboek gegeven.

Later, nadat hij haar geschreven herinneringen had gelezen,

was het hem duidelijk geworden. Begreep hij waarom ze er liever niet over sprak.

16

Buiten scheen de zon. Charlotte Vergeer liet het scherm zakken en vroeg aan Benders of hij iets wilde drinken. Hij vroeg om een glas water. Nu het zonnescherm was gezakt leek de kamer een stuk kleiner, alsof hij de ruimte zojuist door een vergrootglas had gezien.

Nadat Charlotte hem zijn water had gegeven, nam ze plaats tegenover Benders en keek hem afwachtend aan. Benders nam een slok en keek op zijn beurt de vrouw onderzoekend aan. Hij zag zowel de uiterlijke overeenkomsten als de verschillen tussen haar en haar zus. Marlies was jonger, maar had ook een smaller gezicht en een zachtere uitstraling. Charlotte had een rond, alledaags gezicht en gevoelloze ogen. In tegenstelling tot haar zus zag ze er ook minder verzorgd uit. Haar slordig gedragen kleding waren niet meer van deze tijd. Benders verbeeldde zich zelfs een kamferlucht te ruiken.

'Heeft de dood van uw zus u overvallen?'

Charlotte schudde haar hoofd. 'Niet echt', antwoordde ze. 'Eerlijk gezegd was ik er al een tijdje bang voor.'

Benders ging rechter zitten. 'Kunt u mij daar meer over vertellen?', vroeg hij.

Charlotte staarde naar de grond. Had hij haar een onmogelijke vraag gesteld?

'Ik zal het proberen', zei ze ten slotte. Ze keek hem aan. 'Marlies was niet sterk', begon ze. 'Na de dood van Robert kreeg ze het moeilijk. Ze verloor in hem niet alleen de liefde van haar leven, maar ook zijn steun in de strijd die ze met Ilse had. Van de ene op de andere dag stond ze alleen in een wereld die haar vijandig gezind was. Zo voelde Marlies dat tenminste. Door de dood van Robert verloor ze de grip op haar bestaan. Ze wilde wel, maar kon er niet zijn voor Ilse. In die periode zocht Ilse haar toevlucht bij haar opa. Tom van Dronkenoord maakte daar dankbaar gebruik van. Of misschien is in dit geval het woord misbruik beter op zijn plaats. Versta me goed. Hij was in die periode degene die deed waarin Marlies tekort inschoot. Hij was er voor Ilse. Dat kan hem niet worden verweten. Maar hij misbruikte zijn invloed wel. Hij heeft Ilse van Marlies vervreemd. Van Dronkenoord heeft in die periode zijn kans schoon gezien om een wig tussen die twee te drijven. Die kans zou hij nooit hebben gehad als Robert was blijven leven.'

'Hoe weet u dat zo zeker?'

'Robert mocht zijn vader niet. Hij haatte de opgeklopte verhalen over diens verzetsdaden tijdens de oorlog. Echte helden praten daar niet over, was Roberts stellige mening. En zeker niet op de manier waarop zijn vader dat deed.'

Benders dronk zijn glas leeg. Het viel hem op dat Charlotte hem tijdens haar verhaal strak was blijven aankijken. Alsof ze zichzelf ervan wilde overtuigen dat hij geen woord zou missen van wat ze hem vertelde. Dat had hij ook niet gedaan. Hij had aandachtig geluisterd.

'Er waren toen dus al aanwijzingen dat het kon gebeuren?'

Charlotte knikte. 'Ja', antwoordde ze. 'Twee jaar geleden kregen we de eerste signalen.

Marlies kon goed met mijn man opschieten. Hij was een belangrijke steun voor haar. Tegenover hem liet Marlies zich een keer ontvallen, dat ze een einde aan haar leven wilde maken. We waren daar ontzettend van geschrokken. Mijn man heeft toen onmiddellijk haar huisarts ingeschakeld.'

Benders knikte en keek om zich heen. Hij vroeg zich af of het toeval was dat hij de echtgenoot van Charlotte ook bij zijn tweede bezoek niet thuis trof. In de kamer wees niets erop, dat ze dit huis met een man deelde. Toch kon hij zich herinneren dat ze de laatste keer had gezegd, dat haar man naar huis was gegaan om de hond uit te laten. Ineens besefte hij dat hij het beest nog niet had gezien. Nieuwsgierig geworden vroeg hij waar de hond was.

Charlotte keek hem eerst niet-begrijpend aan, maar antwoordde toen dat hij met haar man mee was. 'We hebben een recreatiechalet aan het IJsselmeer', verklaarde ze glimlachend. 'We zijn daar regelmatig, omdat Snicky daar meer de ruimte heeft om te ravotten.'

Benders probeerde zijn verwarring met een glimlach te maskeren en besloot in stilte om de man van Charlotte aan zijn getuigenlijst toe te voegen.

'Goed', zei hij snel. 'Dan heb ik nog één vraag voor u.' Hij pakte het album uit zijn tas en legde het op tafel. 'Dit plakboek vonden we in de woning van Van Dronkenoord', zei hij. 'Het gaat voornamelijk over de periode dat hij in het verzet heeft gezeten. Wij ontdekten daarin een foto van een vrouw van wie wij ons afvragen wie zij is en welke rol zij in het leven van Van Dronkenoord heeft gespeeld.'

Benders sloeg het album open en toonde Charlotte de foto. Haar reactie overviel hem.

'Dat moet Elena zijn', zei ze.

Benders keek haar aan en probeerde zijn opwinding te verbergen. 'Wat weet u van deze vrouw?', vroeg hij met gespeelde kalmte.

Charlotte trok haar schouders op. 'Eigenlijk niets', antwoordde ze. 'Maar ik ken het verhaal dat Tom van Dronkenoord verloofd is geweest met een meisje dat Elena heette. Hij heeft er nooit een geheim van gemaakt dat zij zijn eerste en enige liefde was.'

*

De lage zon dwong Benders de zonneklep in zijn auto naar beneden te klappen. Hij zette zijn autoradio aan en neuriede mee met de nieuwste hit van Jan Smit. Dat hij zojuist bevestigd had gekregen wat hij al vermoedde, stemde hem goed. Zijn gevoel had hem niet in de steek gelaten. De vrouw op de foto had iets te betekenen. Wat dat ook mocht zijn.

Benders keek op het autoklokje en zag dat het nog vroeg was. Hij besloot een bezoek te brengen aan de werkster van Van Dronkenoord. Hoewel hij besefte dat de kans bestond de vrouw thuis niet aan te treffen, gokte hij het erop. Eerdere pogingen haar telefonisch te bereiken waren ook niet gelukt. Blijkbaar beschikte de interieurverzorgster over een drukke agenda.

Helma van Someren woonde in een nieuwbouwwijk aan de rand van Oostdorp. Bij het passeren van het door hem eerder bezochte halfronde appartementencomplex dacht Benders weer terug aan Van Engelsen. Hij vroeg zich af of hij niet te voorbarig in zijn oordeel was geweest om deze fascist uit te sluiten als mogelijke dader. Van Engelsen beschikte weliswaar niet zelf over de benodigde conditie, maar er waren meerdere opties. Hij zou bijvoorbeeld een huurmoordenaar hebben kunnen inschakelen.

Terwijl hij richting aangaf om de straat waar de werkster moest wonen in te rijden, verwierp hij deze optie weer. De moord op Van Dronkenoord was te complex om deze veronderstelling te rechtvaardigen.

Benders stopte voor de woning van mevrouw Van Someren en zag tot zijn opluchting dat er iemand thuis was. Kort nadat hij had aangebeld werd de deur door een vrouw geopend. Benders toonde zijn politiepas en excuseerde zich voor zijn onaangekondigde bezoek.

'U bent mevrouw Van Someren?'

Helma knikte verbaasd.

Benders verklaarde zijn onverwachte bezoek en vroeg of hij gelegen kwam

'U treft het', antwoordde Helma spontaan. 'Woensdag is mijn enige vrije dag.'

Benders volgde haar door een smalle, donkere gang naar de woonkamer.

'Ik kan u vertellen dat ik behoorlijk van slag ben geweest na het gebeurde', begon ze, nadat ze Benders had gevraagd plaats te nemen. 'Zoiets wens je je ergste vijand nog niet toe.'

Benders knikte en keek de vrouw onderzoekend aan. Hij schatte haar midden vijftig. Ze had een tenger postuur. Hij maakte de knopen van zijn jas los en vroeg zich ondertussen af hoe een vrouw van die leeftijd met zo'n tengere lichaamsbouw dat zware schoonmaakwerk volhield.

'Ik kan me goed voorstellen dat u geschokt was', zei hij. 'Hoelang werkte u al voor Van Dronkenoord?'

'Het zou in februari vier jaar zijn geworden', antwoordde ze. 'Maar eerlijk gezegd had ik al besloten om er eind december mee te stoppen.'

Benders pakte zijn notitieblok en bleef haar vragend aankijken. 'Had u daar een speciale reden voor?'

'Mijn man wordt volgend jaar zestig', verklaarde Helma. 'Hij gaat dan met pensioen.'

'U had Van Dronkenoord dus al laten weten dat u zou stoppen.'

'Ja. Hij nam me dat wel niet in dank af, maar daar trok ik me niets van aan.'

'Hoe was Van Dronkenoord als werkgever?'

De vrouw trok haar schouders op. 'Ik heb ze slechter gehad', antwoordde ze. 'Zolang ik hem niet voor zijn voeten liep, vond hij alles prima.'

'Mocht u hem?'

De vrouw keek hem bevreemd aan. 'U bedoelt als mens?'

Benders merkte dat Helma de reden van zijn vraag niet begreep en verklaarde zijn belangstelling.

'Het is voor ons onderzoek belangrijk om te weten wat voor soort persoon het slachtoffer is geweest', legde hij uit. 'We hopen er op die manier achter te komen waarom hij is vermoord.'

Helma knikte. Ze leek over haar antwoord na te moeten denken.

'Tom was iemand met een gebruiksaanwijzing', antwoordde ze uiteindelijk. 'Als hij humeurig was kon je beter uit zijn buurt blijven Maar ik kon wel met hem opschieten. Hij had ook zijn goede kanten.'

'Zoals?'

'Hij was goed voor zijn kleindochter. Voor haar had hij alles over. Ilse kon hem bij wijze van spreken midden in de nacht ergens voor wakker maken.'

Benders hoorde een snik en keek discreet naar de grond.

'Kwam Ilse vaak bij hem langs?', vroeg hij, nadat Helma zich leek te hebben hersteld.

Ze knikte. 'Regelmatig', antwoordde ze. 'Het is misschien hard om te zeggen, maar het is goed dat ze beiden zijn gestorven. Die twee konden elkaar niet missen.'

Benders vond het inderdaad hard. Hij deelde de mening van Helma niet, maar besloot daar geen discussie van te maken.

'Kende u de moeder van Ilse ook?'

'U bedoelt Marlies?'

Benders knikte. De spottende ondertoon bij het uitspreken van de naam Marlies ontging hem niet.

'Over de doden niets dan goeds natuurlijk', vervolgde Helma. 'Maar dat mens verdiende de titel moeder niet.'

'Waarom vindt u dat?'

'Ze had geen enkele belangstelling voor Ilse. Ilse zat meer bij haar opa dan thuis. Dat lijkt mij toch niet normaal.'

'Sprak u daar wel eens over met Van Dronkenoord?'

Helma schudde haar hoofd. 'Niet echt', antwoordde ze. 'Maar Tom was duidelijk niet gecharmeerd van zijn schoondochter. Als hij over haar sprak, had hij het altijd over "die teef" Dat zegt volgens mij genoeg.'

Mij ook, dacht Benders. Hij vroeg zich af waar de vete tussen Van Dronkenoord en zijn schoondochter vandaan kwam.

'Hebt u de weken voor de moord iets aan het gedrag van Van Dronkenoord kunnen merken?', vroeg hij verder. 'Ik bedoel,

gedroeg hij zich anders dan dat u van hem gewend was?'
Helma schudde haar hoofd. 'Ik heb daar natuurlijk over nagedacht . Mijn man vroeg dat ook, maar nee, ik heb niets aan
hem gemerkt. Hij was, zoals hij altijd was.'
'Weet u ook of er in de dagen, voorafgaande aan de moord,
personen aan de deur zijn geweest die u daarvoor niet eerder
had gezien?'
'Er kwam daar nooit iemand over de vloer', antwoordde Helma
overtuigd. 'Ook de dagen voor de moord niet.'
'Kunt u zich telefoongesprekken herinneren die, om het zomaar
te zeggen, nogal vreemd over kwamen?'
Helma schudde beslist haar hoofd. 'Niets van dat alles', zei
ze. 'Tenminste niet tijdens mijn aanwezigheid.'
Benders sloeg zijn blocnote dicht en stond op. 'Praatte Van
Dronkenoord met u wel eens over vroeger?', vroeg hij onder-
tussen.
'U bedoelt over zijn verzetsdaden?'
'Onder andere.'
Helma glimlachte. Alsof de herinnering aan de gesprekken met
haar werkgever haar amuseerde.
'Hij deed niet anders', antwoordde ze. 'Tom deed daar altijd
nogal opschepperig over. Alsof wij onze vrijheid uitsluitend
aan hem hadden te danken.'
Benders glimlachte mee en vroeg of tijdens hun gesprekken
over het verzet wel eens de naam Elena was gevallen.
Helma was inmiddels ook opgestaan en keek Benders vragend
aan. 'Elena zei u?'
Benders knikte hoopvol, maar moest even later teleurgesteld
toezien hoe ze haar hoofd schudde.
'Die naam zegt me niets', antwoordde ze. 'Wie mag dat dan
wel zijn?'
Heel even overwoog Benders om Helma te vertellen wat hij
wist over de vrouw op de foto, maar besloot toch daarover te
zwijgen.

'Dat hoopte ik van u te horen', zei hij, terwijl hij zijn jas dicht-
knoopte.

Bij zijn afscheid zag hij dat hij de vrouw nieuwsgierig had
gemaakt. Helma, dacht hij, zal niet eerder rusten voordat ze
weet wie Elena is.

17

Benders sloot zijn balkondeuren. Hij had de deuren geopend om van de herfstzon te genieten, maar de draaiende betonmolen belette hem dat. Even kreeg hij de gedachte om de machine te saboteren en voorgoed het zwijgen op te leggen. Maar zijn burgerfatsoen riep hem tot de orde. Hij was immers politieman. Hij had een voorbeeldfunctie, hoewel hij steeds minder de indruk kreeg dat zijn goede voorbeeld goed gedrag opriep. Zojuist hoorde hij op het nieuws dat een groep jongeren een treinstel had vernield. Ze hadden de conducteur gemolesteerd en een wagon in brand gestoken.

Benders wond zich daarover op. Op datzelfde nieuws was te horèn geweest dat de regering overwoog om de vijfde mei weer jaarlijks te gaan vieren. De dag waarop de herwonnen vrijheid werd herdacht. Maar waar had deze vrijheid toe geleid?

Benders dacht terug aan Van Engelsen. Hoewel deze fascist er verwerpelijke gedachten op nahield, had hij wel een kern geraakt die tot nadenken stemde. Wat was er met de vrijheid gedaan? Misschien zou er in dit land een discussie op gang moeten worden gebracht over de manier waarop het respect voor de vrijheid weer kon worden teruggewonnen. Een discussie die duidelijk moest maken dat vrijheid niets van doen heeft met het vernielen van treinstellen en het molesteren van conducteurs.

Benders draaide zich van de balkondeuren weg en riep zich zelf tot de orde. Hij draafde door. Hij zou er beter aan doen om zijn energie te steken in de zaak waaraan hij werkte. Het op gang brengen van maatschappelijke discussies was een taak van de politiek, niet van de politie.

Hij keek op zijn horloge en zag tot zijn schrik en verbazing dat het al negen uur was. Gehaast klokte hij het laatste restje lauw geworden thee naar binnen en spoedde zich naar buiten.

Onderweg naar het bureau werd hij verblind door de lage zon. Hij trok de zonneklep naar beneden en dacht ondertussen aan zijn gesprek met Charlotte Vergeer. Zij had gezegd dat Elena de eerste en enige liefde van Van Dronkenoord was geweest. Hij had daar gisteravond over nagedacht, maar wist nog niet wat dat kon betekenen. Toch voelde hij dat het iets van belang moest zijn. Iets wat hij nog niet kon verwoorden.

Nadat Benders het bureau was binnengestapt, kwam Kootstra hem vanuit de receptie tegemoet. De Friese rechercheur straalde en gaf Benders een vriendschappelijke klap op zijn schouder. 'Ayse is als een blad aan een boom omgedraaid', zei hij enthousiast. 'Ze vertelde me dat jij haar had leren inzien dat haar geduld uiteindelijk zal worden beloond. Hoe heb je dat in godsnaam voor elkaar gekregen?'
Benders grijnsde.'Is dat belangrijk dan?'
'Nee, maar.....'
'Ik heb er nauwelijks mijn best voor hoeven te doen', bekende Benders. 'Blijkbaar heeft ze vertrouwen gehad in mijn oordeel. Nu is het aan jou om dat vertrouwen niet te beschamen.'
'Hoe bedoel je?'
'Gewoon, zoals ik het zeg. Haar vertrouwen niet beschamen. Haar blijven koesteren dus.'
Benders liet Kootstra vertwijfeld achter en liep met twee treden tegelijk de trap op. In zijn kantoor werd hij opgewacht door een man die hij nog niet eerder had gezien. Maar het uniform dat de ander droeg, herkende hij wel. Blijkbaar stond hier de nieuwe commissaris. De man was een kop kleiner dan hijzelf. Benders schatte hem rond de vijftig, maar mogelijk dat zijn kale hoofd het beeld vertekende.
'U bent meneer Benders?'
Benders knikte en zette zijn tas op zijn bureau. 'En wie bent u als ik vragen mag?'
'Mijn naam is Kraaienbrink.' De man maakte geen aanstalten

naar hem toe te komen om hem de hand te schudden. 'Ik ben hier tijdelijk aangesteld als commissaris', vervolgde hij. 'Wat zoveel wil zeggen dat ik voorlopig de leiding van het korps op me zal nemen.'

'Voorlopig?'

Kraaienbrink knikte. 'Tot er een geschikte vervanger voor mevrouw Landman is gevonden', verduidelijkte hij.

Benders pakte de spullen uit zijn tas en legde ze op het bureau. De man irriteerde hem, waarom wist hij niet precies. Waarschijnlijk was het zijn geaffecteerde manier van praten.

'Ik heb begrepen dat u de hoofdinspecteur bent, meneer Benders?', vervolgde Kraaienbrink. Benders knikte. 'Dat is correct ja, maar ik zou willen dat u me in het vervolg Frank noemt. Ons korps kenmerkt zich door een informele werksfeer. Ik wil dat graag zo houden.'

'Ik vind dat u zich als hoofdinspecteur wat meer bewust zou moeten zijn van uw voorbeeldfunctie, meneer Benders. U verschijnt twintig minuten te laat op uw post. Ik wil dat u zich in het vervolg aan de regels houdt.'

Benders staarde hem stomverbaasd aan. Kraaienbrink had zijn opmerking volkomen genegeerd. De toon die de interim-commissaris bezigde, beloofde weinig goeds voor de toekomst. Deze opgeblazen kikker was niet zijn man. Zoveel leek duidelijk. Hij besloot in de tegenaanval te gaan.

'Zo u wilt,' zei hij met gespeelde nederigheid, 'maar nu we het toch over regels hebben. Wilt u in het vervolg zo vriendelijk zijn niet ongevraagd mijn kantoor binnen te stappen. Ik hecht nogal aan mijn privacy.'

Kraaienbrink keek hem aan met een blik alsof hij zojuist in zijn gezicht was geslagen. 'Over een halfuur in mijn kantoor', zei hij afgemeten.

Benders knikte tevreden en ging achter zijn bureau zitten. De stand was gelijk, maar de strijd was nog niet gestreden. Deze man zou nog dikwijls zijn pad kruisen, vreesde hij.

Juist voordat hij probeerde te bedenken welke strategie hij tegen de nieuwbakken commissaris zou volgen, werd er op zijn deur geklopt.

Na enige aarzeling riep hij: 'Binnen.'

Tot zijn opluchting was het Paula. Ze keek Benders veelbetekenend aan, waarna ze begon te lachen. 'Ik kan aan je gezicht zien dat hij al is langs geweest', zei ze nagrinnikend.

Benders knikte en gebaarde Paula naar zijn bezoekersstoel. 'Ik heb hem zojuist gesproken, ja', zei hij. 'Toegegeven, het was geen hoopgevende start.'

'Hij vroeg mij of het een gewoonte van je was om zo laat op je post te verschijnen', zei Paula. 'Ik heb hem geantwoord dat ik me niet kon herinneren dat dat ooit eerder is voorgekomen.'

Benders grijnsde. 'Dat is top van je', zei hij. 'Ik zal dat krediet nodig hebben.'

'Wat mij betreft mag commissaris Landman morgen weer terugkomen', zuchtte Paula.

Van mij vandaag, dacht Benders. Hij had gehoopt dat Nikka hem gisteren had teruggebeld, maar ze had nog niet gereageerd op zijn bericht. Hij vroeg zich af waarom niet. Was ze hem nu al vergeten?

'Maar ik kwam je eigenlijk vertellen dat ik gisteren gebeld werd door Erwin', onderbrak Paula zijn gepeins. ' Hij wilde jou spreken.'

Benders trok zijn wenkbrauwen op. 'Je bedoelt Erwin de Vries?', vroeg hij verbaasd.

Paula knikte. 'Hij klonk nogal teleurgesteld toen hij hoorde dat jij er niet was. Ik heb hem beloofd dat je hem vandaag terug zou bellen.'

Paula legde het telefoonnummer van de jongen op het bureau en keek Benders vragend aan. 'Is Erwin die jongen die wat gehad zou hebben met Ilse van Dronkenoord?'

'Wat gehad zou willen hebben', verbeterde Benders. 'Zie hem maar als de afgewezen minnaar.'

'Een goed motief.'

Benders stond op uit zijn stoel en schudde zijn hoofd. 'Vergeet dat maar', zei hij. 'Erwin de Vries is gesneden uit een houtsoort dat onmogelijk kan rotten.'

'Onder geen enkele omstandigheid?'

'Nee.'

'Dat klinkt overtuigd.'

'Dat ben ik ook', zei Benders. 'Maar als je me nu wilt excuseren. Ik heb straks een afspraak met onze vriend de commissaris.'

Zodra Benders het kantoor van Kraaienbrink binnenstapte, zag hij dat alles anders was. Blijkbaar had de nieuwbakken commissaris een eisenpakket op tafel kunnen leggen alvorens in te stemmen met zijn tijdelijke benoeming. Het kantoor had een complete metamorfose ondergaan. De houten kantoormeubelen hadden plaats gemaakt voor roestvrij staal en aan de wit gesausde wanden hingen kunstwerken, waarvan Benders vermoedde dat ze de gemeenschap een lieve duit moesten hebben gekost.

'Gaat u zitten, meneer Benders.'

Benders nam plaats in de bezoekersstoel voor het bureau van Kraaienbrink. Anders dan bij Nikka was het bureaublad keurig opgeruimd. Een pc, een telefoon, een dossiermap en een penhouder met pen waren de enige vier attributen. Geen overtollige ballast die Kraaienbrink uit balans zou kunnen brengen.

'Ik heb zojuist het dossier doorgenomen betreffende de zaak waaraan u nu werkt', begon de commissaris. 'Ik moet zeggen dat het voor zo 'n korte tijd een vrij omvangrijk verslag is geworden, maar dat zal te maken hebben met uw werkwijze.'

Benders keek zijn nieuwe chef niet-begrijpend aan. 'Ik ben bang dat ik niet snap wat u bedoelt.'

'Dan zal ik proberen wat duidelijker te zijn. Uit de eerste verslagen die ik las, heb ik al twee potentiële verdachten kunnen filteren, maar blijkbaar vond u het nog niet de moeite deze aan een scherp verhoor te onderwerpen. Ik maak daaruit op dat doortastendheid niet uw sterkste wapen is. Sterker nog, u lijkt me nogal een twijfelaar.'

Benders voelde zijn nekharen omhoogkomen en moest moeite doen om rustig te blijven. 'Twijfel en bedachtzaamheid zie ik als synoniemen', zei hij kalm. 'In die zin beschouw ik uw opmerking dus als een compliment.'

Kraaienbrink keek hem vorsend aan. 'Toch zou ik willen dat u wat meer vaart zet achter het onderzoek', zei hij geprikkeld. 'Het lijkt mij geen kwaad te kunnen om Van Engelsen en Langendijk eens stevig aan de tand te voelen.'

Benders zweeg. Hij was niet van plan het advies van Kraaienbrink op te volgen. Hij trok zijn eigen plan. In dat plan zaten voorlopig nog geen scherpe verhoren voor Van Engelsen en Langendijk.

'Waarom zegt u niets?'

'Ik heb niets toe te voegen aan wat u hebt gezegd.'

'Mag ik daaruit op maken dat u mijn advies gaat opvolgen?'

'Als ik de tijd daar rijp voor acht, zal ik dat zeer zeker doen', antwoordde hij.

Benders zag de verwarring bij de commissaris. Alsof de man geen raad wist met het antwoord dat het midden hield tussen ja en nee.

'Goed', zei Kraaienbrink ten slotte. 'Dan wil ik nu van u horen waar u staat in het onderzoek en wat uw gedachten zijn over het vervolg.'

Benders vertelde over de laatste ontwikkelingen, maar vermeed zorgvuldig het achterste van zijn tong te laten zien.

'Misschien een overbodige vraag', zei de commissaris na afloop. 'Maar hebt u zelf al een verdachte op het oog?'

Benders schudde zijn hoofd. 'Zover zijn we nog niet', antwoordde hij. 'Was er anders nog iets?'

Kraaienbrink schudde zijn hoofd. 'Voorlopig laten we het hier-bij', zei hij. 'Maar houd me op de hoogte van uw vorderingen.'

Benders beloofde dat en verliet de werkkamer van de commissaris. Zodra hij de deur achter zich had dichtgetrokken vloekte hij hartgrondig. Hij miste Nikka meer dan ooit.

*

Erwin de Vries keek naar de grond. Benders had hem zojuist gevraagd wat hij wilde vertellen, maar de jongen leek er moeite mee te hebben zijn verhaal te doen.

'Wat hier wordt gezegd blijft tussen ons Erwin, dat garandeer ik je', probeerde hij.

Erwin trok aan de klep van zijn baseballpet. 'Ik had het u al eerder willen vertellen', begon hij aarzelend. 'Maar ik wist niet goed hoe ik er over moest beginnen.'

'Waarover beginnen?'

'Over meneer Langendijk, de manegebeheerder.'

Benders keek Erwin belangstellend aan. 'Wat is er dan met hem?', vroeg hij nieuwsgierig.

'Hij had Daska eerst aan mij beloofd,' antwoordde de jongen, 'maar later kreeg Ilse hem.'

'Kreeg Ilse hem?'

'Nou ja, verkocht hij hem aan Ilse. Voor vijfhonderd euro meer dan ik er voor moest betalen.'

Benders floot tussen zijn tanden. 'Dat is nogal wat', zei hij. 'Heeft hij ook verteld waarom hij dat deed?'

'Hij zei dat hij hem eigenlijk al eerder aan Ilse had beloofd, maar toen ik Ilse daarnaar vroeg ontkende ze dat.'

'En jij geloofde Ilse?'

'Ja.'

Benders hoorde dat de jongen beledigd was. Hoe had de politieman kunnen twijfelen aan de integriteit van Ilse?

'Was dat de reden dat je niet langer lid wilde zijn van de manege?'
'Nee. De prijs die ik voor Daska moest betalen was toch te
hoog. Mijn ouders kunnen dat niet ophoesten. Ik vond het alleen
vreemd dat Ilse er vijfhonderd meer voor had betaald. Toen ik
Ilse daarover sprak, vertelde ze me dat haar opa dat nooit zou
pikken.'
'En klopte dat?'
Erwin knikte. De opa van Ilse eiste het teveel betaalde bedrag
terug, maar daar begon meneer Langendijk niet aan. Ik was er
getuige van dat ze daar ruzie over maakten. Meneer Langendijk
schreeuwde Ilses opa toe dat hij met dat schijtbedrag zijn schuld
nog niet had terugbetaald.'
Benders staarde de jongen verrast aan. 'Wat bedoelde
Langendijk daarmee?'
Erwin trok zijn schouders op. Zijn blik kreeg iets droevigs.
'Dat weet ik niet', zei hij. 'Ik heb dat Ilse nooit meer kunnen
vragen.'

Nog geen uur later zat Benders tegenover de beheerder van
manege "De Buitenhof". De man knikte bevestigend op wat
Benders hem vertelde.
'Ik had het meteen moeten zeggen', gaf hij toe.
Benders bleef hem afwachtend aankijken. Het viel hem op dat
het gezicht van de beheerder sporen van vermoeidheid ver-
toonde. Alsof hij nachten niet had geslapen.
'Ik handelde uit rancune', vervolgde Langendijk. 'Dat had ik
beter niet kunnen doen.'
'Rancune waarover?'
'Dat is een oude geschiedenis,' antwoordde hij zuchtend, 'van
meer dan dertig jaar geleden. Ik ben eigenlijk timmerman van
beroep en werkte indertijd als onderaannemer voor diverse bouw-
bedrijven. Onder andere voor Van Dronkenoord. Van
Dronkenoord bouwde destijds in opdracht van de gemeente

een viaduct. Hij vroeg mij voor de aanbesteding een prijsop-
gave voor het bekistingwerk te maken, met de mondelinge
belofte dat bij gunning de klus voor mij was. Maar Van
Dronkenoord hield geen woord. Hij kreeg de opdracht van de
gemeente en ging vervolgens met de door mij ingediende prijs
leuren bij de concurrent. Het was een vrij omvangrijk project
en het berekenen daarvan was dan ook een tijdrovende bezig-
heid geweest. Ik was dus voor Jan met de korte achternaam
aan het rekenen geweest. Dat heb ik hem nooit vergeven.'
Benders knikte. 'Het bedrag wat u teveel voor het paard reken-
de moet ik dus zien als een naheffing?'
'Leg het zo maar uit, ja. Toen Van Dronkenoord achteraf van
Ilse hoorde dat ik Daska eerder voor vijfhonderd euro minder
aan Erwin had aangeboden, ontplofte hij zowat. Hij eiste zijn
geld terug, waarop ik hem haarfijn uitlegde waarom ik daaraan niet begon.'
Benders stond op van zijn stoel. Wat Langendijk hem had verteld, was een geloofwaardig verhaal. Als motief voor moord
leek de vete tussen de twee aannemers te zwak. Toch was het
niet ondenkbaar. Hij had gekkere dingen meegemaakt.

18

John had haar dagboek al honderden keren ingezien. Eigenlijk zou hij het niet meer hoeven lezen. Hij kon het dromen. Maar met dit boek kreeg hij altijd het gevoel dicht bij haar te zijn. Alsof ze tegen hem sprak. Alsof wat ze schreef alleen voor hem was bestemd. Bij het fragment, dat nu opengeslagen voor hem lag, kwam de herinnering weer naar boven van het moment dat hij het voor de eerste keer las. Hoe vervuld van haat hij toen raakte tegenover de man, die het leven van zijn moeder had verminkt.

27 januari 1945

Tom van Dronkenoord vroeg me vandaag wanneer we zouden gaan trouwen. Hij vroeg het op de hem bekende manier. Dwingend, alsof mijn antwoord er feitelijk niet toe deed. Ik heb hem laten weten dat ik daar nog over wilde nadenken. Ik zweeg over Ernst. Als Tom over hem hoort, ben ik mijn leven niet meer zeker. Hij zal niet schromen mij als een verraadster te liquideren. Uit de groep stappen is ook geen optie. Ze zouden mijn gangen nagaan en erachter komen dat mijn geliefde een Duitse soldaat is. Daaruit zouden ze opmaken dat ik degene ben die al die tijd heeft gelekt.

Sinds ik van Ernst hoorde wie Tom werkelijk is, voel ik me een dubbele verrader. " Tom eet van twee wallen", zei Ernst. De bouw van de bunkers, die onze groep een paar jaar geleden saboteerde, was uitgevoerd door zijn oom. Deze vaarde wel bij onze sabotagepraktijken. Hij mocht de schade herstellen en verdiende daar vervolgens goed aan.

Volgens Ernst werd Tom daar ook niet minder van. Het zou om grote bedragen gaan. Bovendien zou Tom door zijn oom in het vooruitzicht zijn gesteld dat hij mede- eigenaar zal wor-

den van zijn bedrijf. Als tegenprestatie zou Tom de geplande
overvallen doorspelen aan zijn oom, zodat deze de bezetter
tijdig op de hoogte kan brengen.
Tom is dus het lek waar wij al zo lang naar op zoek zijn. Maar
hoe vertel ik mijn vrienden wat ik weet? Tom is onze leider.
Iedereen heeft ontzag voor hem. Hij staat op een voetstuk. Ze
zullen mij doodgewoon niet geloven. Zeker niet als ik daarbij
vertel dat de beschuldiging van een Duitse soldaat komt en
deze soldaat mijn geliefde is.
Het dilemma waar ik me voor geplaatst weet, maakt me onze-
ker. Onzeker en angstig. Ik maak deel uit van een groep men-
sen die hun leven in de waagschaal leggen voor een betere
toekomst. Deze mensen onthoud ik nu de waarheid. Uit lijfs-
behoud, maar ook om dat van Ernst. Op momenten als deze
vraag ik me vertwijfeld af waar ik voor sta. Ik deel het bed
met de bezetter en laat mijn vrienden in de waan achter onze
leider te staan. Welke prijs ben ik bereid te betalen voor mijn
leven? Voor ons geluk? Zal ik ooit de moed vinden een ant-
woord te geven op deze beklemmende vraag.............

Inmiddels kende hij het antwoord op haar laatste vraag. Zijn
moeder toonde uiteindelijk de moed haar vrienden uit het verzet in vertrouwen te nemen. Nog geen maand later werd voor
haar ogen haar geliefde vermoord. Zijn vader. Doodgeschoten.
Als ongedierte.
Vanaf dat moment besefte hij wat hem te doen stond.

Op zaterdagochtend werd Benders wakker van het snerpende geluid van zijn telefoon. Terwijl hij de hoorn oppakte, keek hij op zijn wekker. Het was al half tien. Buiten hoorde hij de regen. Gisteren had hij bewust zijn wekker niet gezet met het voornemen te blijven slapen, totdat hij uit zichzelf wakker zou worden. Dat de telefoon de taak van de wekker nu had overgenomen, speet hem niet. Het was al laat en hij had nog een drukke dag voor zich.

'Met Benders.'

'Met mij.' Hij was onmiddellijk wakker. Het was Nikka. Ze klonk opgewekt. Dit was de Nikka die hij graag hoorde.

'Wat een verrassing', probeerde hij met dezelfde opgewektheid. 'Bel je voor iets speciaals?'

'Eigenlijk niet. Maar wat klink je slaperig. Heb ik je uit je bed gebeld?'

'Geeft niet. Ik was toch van plan om op te staan. Hoe gaat het met je?'

Benders hoorde haar lachen. 'Wat ben je weer origineel, Frank Benders. Kun je echt niets anders verzinnen?'

'Het is nog vroeg.'

'Goed. Excuses aanvaard. Met mij gaat het prima. Ik heb gisteren bericht gekregen dat Rob overgeplaatst kan worden naar Schiedam. Ik ben daar erg blij mee.'

'En je dochter?'

'Wisselend, maar ze is nog steeds *clean*. De therapie die ze nu krijgt, is er hoofdzakelijk op gericht om haar gevoel van eigenwaarde terug te winnen. Door haar verleden is Mireille erg kwetsbaar geworden. Dat heeft tijd nodig. Hoe gaat het trouwens met het onderzoek?'

'Dat schiet geen donder op', antwoordde Benders naar waarheid.

Hij praatte haar bij over de stand van zaken en vroeg na afloop naar haar mening.

Haar antwoord kwam snel. 'Als jij denkt dat de vrouw op de foto van belang kan zijn, moet je er werk van maken haar te vinden.'

Benders was overrompeld. 'Dat is makkelijker gezegd dan gedaan', zei hij. 'We hebben alleen een foto en een voornaam. Daarbij is het nog de vraag of de vrouw nog leeft.'

'Ik zei toch niet dat het eenvoudig is.'

Tegen deze nuchtere constatering wist Benders niets in te brengen. Nikka had gelijk, besefte hij. Hij zou zijn gevoel moeten volgen. De vrouw op de foto moest worden gevonden. Hij bedankte Nikka voor haar advies en beloofde haar op de hoogte te houden van zijn zoektocht. Daarna verbrak hij de verbinding. Te laat bedacht hij wat hij nog meer had willen zeggen. Dat hij haar miste. Met iets van spijt stapte hij uit bed.

Hij liep naar de kamer en bedacht ondertussen op welke manier hij erachter kon komen wie de vrouw op de foto was. Hij herinnerde zich dat Charlotte Vergeer hem had verteld dat Elena de eerste en enige liefde van Tom van Dronkenoord was geweest. Ze waren verloofd, maar Elena was niet zijn vrouw geworden. Waarom niet? Benders besefte dat hij voor het antwoord op die vraag diep zou moeten graven. Een kloof van meer dan zestig jaar moest worden overbrugd. Geen eenvoudige opgaaf. Toch moest het.

De maandag daarop belde Benders het Nederlands Instituut voor Oorlogs Documentatie. Hiermee wilde hij een begin maken met de zoektocht naar Elena. Nikka had hem overtuigd. Hij moest afgaan op zijn intuïtie. Op zijn gevoel. Om geen slapende honden wakker te maken had hij besloten om zich als particulier te melden. Mocht hij iets belangrijks ontdekken, kon hij altijd nog beslissen zich als politiefunctionaris bekend te maken.

Na het laatste cijfer te hebben ingetoetst, trommelde hij ongedurig met zijn vingers op het stalen bureaublad. Hij voelde
zich gespannen, alsof hij verwachtte dat de vrouw van de foto
de telefoon ging opnemen.

Na enkele seconden kwam de verbinding tot stand. De vrouw
die hem te woord stond, leek erg jong. Hooguit twintig. Ze
had een hoge stem, die op Benders nogal kinderlijk overkwam.
Nadat hij haar in het kort had verteld waarover hij informatie
wilde, werd hij doorverbonden naar een man die zich voorstelde als de heer Leegwater. Benders herhaalde zijn verzoek
en hoopte niet nogmaals te worden doorgeschakeld. Hij had
geluk. Leegwater legde hem uit wat de procedures waren die
noodzakelijk waren om toegang te krijgen tot de bibliotheek
en vermeldde daarbij de openingstijden. Hij zou niet eerder
dan woensdag terecht kunnen. Benders verbeet zijn teleurstelling en bedankte de man voor de verstrekte informatie. Daarna
verbrak hij de verbinding.

Een ogenblik later werd er op zijn deur geklopt. Het was Paula.
Hij vroeg haar binnen te komen en plaats te nemen.

'Wil je koffie?'

'Denk jij wel eens aan iets anders dan aan koffie?'

'Jawel.'

Paula ging zitten. 'Laat maar,' zei ze glimlachend, 'dat hoef
ik niet te horen.'

Benders stond op en herhaalde zijn vraag. Paula schudde haar
hoofd. 'Het is mij nog te vroeg.', antwoordde ze. Benders
schonk vervolgens alleen zichzelf koffie in. Paula's bezoek
ervoer hij als een welkome afleiding, waardoor hij zich weer
ontspannen voelde.

'Wat wil je dan horen?', vroeg hij glimlachend.

'Waar jij mee bezig bent', zei Paula.. 'We hebben al een paar
dagen nauwelijks een werkoverleg gehad . Ik denk dat het belangrijk is dat we de koppen weer eens bij elkaar steken.'

Benders knikte. Paula had gelijk, besefte hij. Het werd hoog tijd de zaak weer eens te evalueren.

'Laten we afspreken dat we donderdagochtend weer bij elkaar komen', zei hij. 'Dan hoop ik meer te weten.'

Paula bleef hem vragend aankijken. 'Meer te weten van wat?', vroeg ze nieuwsgierig.

Benders legde haar uit waar hij op doelde en vroeg Paula daar niet met de commissaris over te spreken. 'Ik heb nog even geen zin in zijn inmenging', verklaarde hij. 'Mocht blijken dat het ergens toe leidt, is het nog vroeg genoeg om hem te informeren.'

Paula knikte. Benders zag dat ze een glimlach onderdrukte. Blijkbaar voelde ze hem haarfijn aan.

'Maar in welk verband denk jij dan dat de vrouw op de foto belangrijk kan zijn?'

Benders trok zijn schouders op. 'Dat kan ik niet goed verwoorden', antwoordde hij. 'Het is meer een gevoel. Op de een of andere manier intrigeert die vrouw me.'

'Maar gesteld dat ze nog leeft, dan zou ze nu om en nabij de tachtig jaar zijn. Je denkt toch niet…?'

'Ik weet niet wat ik denk', onderbrak Benders. 'Ik zei het je al eerder: het is een gevoel. Er is een oude man vermoord. Het was geen roof. Geen uit de hand gelopen ruzie. Er was geen sprake van noodweer. Het was een weloverwogen liquidatie. Uitgevoerd volgens een van te voren bedacht scenario. Een scenario waarin de komst van het vermoorde meisje niet stond vermeld .'

'Bedacht door een vrouw van tachtig jaar?'

Benders hoorde Paula's sarcasme en schudde zijn hoofd. 'Ik begrijp heel goed dat dat een absurde gedachte is', zei hij. 'Toch rust ik niet eerder dan dat ik dat van Elena zelf bevestigd krijg. Absurd of niet.'

Paula stond op van haar stoel. Benders zag haar naar hem kijken met een blik dat het midden hield tussen ongeloof en medelijden, alsof ze twijfelde aan zijn verstandelijke vermogens.

Diezelfde middag nog besloot Benders een bezoek te brengen aan de man van Charlotte Vergeer. Hij wilde erachter zien te komen of de zwager en vertrouwenspersoon van Marlies van Dronkenoord de mening van Charlotte deelde over de zelfverkozen dood van zijn schoonzus.

Vergeer verbleef op een recreatiepark dat pal aan het IJsselmeer lag. Benders parkeerde zijn auto op de bezoekersparkeerplaats en begaf zich naar een houten gebouw waarop met grote witte letters "receptie" stond geschilderd. De vrouw die hem te woord stond, gaf hem een bezoekerspasje en een plattegrond van het park. Vervolgens verbood ze hem nadrukkelijk met zijn auto het terrein op rijden.

Benders knikte gehoorzaam en verliet het houten ontvangstgebouw met het gevoel van een schooljongen die te verstaan was gegeven niet met zijn fiets het schoolplein op te rijden. Hij liep naar de ingang van het park en gebruikte zijn pasje om het afgesloten hek te openen.

Het park maakte een verzorgde indruk en straalde een weldadige rust uit. Groengeschilderde houten chalets stonden, gescheiden door hoge coniferen, op ruime kavels grond. Hij begreep nu waarom de receptioniste hem zo nadrukkelijk had verboden het terrein met zijn auto op te rijden. Hij haalde diep adem en voelde hoe de zoete IJsselmeerlucht zijn longen streelde. Het terrein lag er verlaten bij. Benders besefte dat dat te maken kon hebben met de tijd van het jaar. Weekendgasten waren de dag ervoor waarschijnlijk weer vertrokken en de weersvoorspellingen waren niet van dien aard dat impulsieve beslissers voor de grillige IJsselmeerkust zouden kiezen.

Hij raadpleegde zijn plattegrond en ontdekte dat het chalet van de familie Vergeer zich pal aan de dijk moest bevinden. Benders vroeg zich af of je op dit park permanent zou mogen wonen. Juist nadat hij bedacht dat het gedoogbeleid van de gemeente een permanent verblijf wellicht mogelijk maakte, hoorde en zag hij de hond die hij eerder bij Charlotte had gezien. Het beest liep luid blaffend heen en weer achter een hekwerk van gaas, alsof hij de ongenode gast wilde beletten verder te komen. Een ogenblik later verscheen een man in de deuropening van wie Benders vermoedde dat het Vergeer was.

Een kort commando was voldoende om de hond het zwijgen op te leggen. De man keek zijn bezoeker vervolgens nieuwsgierig aan en vroeg Benders naar het doel van zijn komst.

'U bent de heer Vergeer?'

De man knikte vriendelijk.

Benders verklaarde zijn aanwezigheid en toonde zijn legitimatie.

'Komt u verder', zei Vergeer uitnodigend.

Benders liep achter de man en de hond aan. Vergeer liep traag en enigszins voorover, alsof hij na iedere stap nadacht over de volgende.

Benders stootte zijn hoofd aan de bovendorpel van de lage entree. Na een inwendige vloek volgde hij Vergeer naar de woonkamer en nam op diens verzoek plaats op een hoekbank tegenover een raam.

'U staat hier mooi', opende Benders om het ijs te breken.

De man knikte instemmend en nam plaats tegenover de inspecteur.

'Denkt u dat de dood van Marlies iets te maken kan hebben met de moorden?', kwam Vergeer onmiddellijk terzake.

Benders was overrompeld . Hij was niet voorbereid op zo'n directe vraag.

'Daar kan ik nog niets over zeggen', antwoordde hij naar waarheid.

'Maar u hebt er toch wel een mening over?'

Benders hoorde zijn verontwaardiging. 'Mijn mening doet er niet toe', zei hij. 'Ik houd me aan de feiten. Tot nog toe wijzen deze uit dat er geen aanleiding is om te veronderstellen dat uw schoonzuster onder verdachte omstandigheden is gestorven.'

Vergeer staarde naar de grond en leek naar woorden te zoeken om op Benders' bewering te reageren.

'Ik kan haar zelfverkozen dood maar nauwelijks verwerken', zei hij uiteindelijk. 'We hebben er altijd wel rekening mee gehouden dat het kon gebeuren, maar het moment is toch onverwacht gekomen. Ze leek me de laatste tijd juist vrij stabiel.'

'Wanneer hebt u Marlies voor het laatst gesproken?'

'Twee dagen voor haar dood, maar ons gesprek beperkte zich toen tot meer praktische zaken.'

'Wat was uw indruk van haar?'

'Tja, wat zal ik zeggen. Gezien de omstandigheden leek het mij dat ze alles vrij goed onder controle had.'

'U bedoelt goed genoeg om u geen zorgen over haar te maken?'

Vergeer knikte. 'Precies', antwoordde hij opgelucht, alsof Benders hem zojuist van een zware last had bevrijd. 'Maar blijkbaar heb ik toch wat gemist.'

Benders keek de man zwijgend aan. Hij schatte hem rond de zeventig, maar wellicht dat zijn gebogen houding en houterige motoriek hem ouder deden lijken.

'De dood van Marlies heeft mij diep geraakt', vervolgde Vergeer. 'Ik mocht haar graag. Marlies en ik waren altijd open en vertrouwelijk naar elkaar. Ik mis haar erg.'

Benders liet de man de ruimte om zijn opkomende tranen een halt toe te roepen en vroeg zich ondertussen af hoe vertrouwelijk Marlies met haar zwager was geweest.

'Ik voel met u mee', zei hij, nadat Vergeer zich leek te hebben hersteld. 'De dood van uw schoonzus overviel ons ook. Met haar verliezen we ook de belangrijkste getuige in onze zaak.'

Vergeer trok nadenkend aan zijn kin. 'Ik denk dat ik begrijp waar u naartoe wilt,' zei hij, 'maar ik zou niet weten hoe ik u verder kan helpen.'

'Waren er, behalve u, nog andere mensen waar Marlies een vertrouwensband mee had? Een goede vriendin of een vriend met wie ze regelmatig contact had?'

'Nee, ik weet bijna zeker van niet, of het moet haar huisarts zijn geweest.'

'U bedoelt dokter Van der Mey?'

Vergeer knikte. 'Van der Mey heeft Marlies na de dood van Robert goed begeleid. Hij stond dag en nacht voor haar klaar.'

'Had Marlies, voorzover u bekend, al eens eerder een zelf-moordpoging gedaan?'

'Nee, nooit', antwoordde Vergeer beslist. 'Twee jaar geleden liet ze zich wel een keer ontvallen dat ze een einde aan haar leven zou willen maken. Dat was vlak na de dood van Robert. Charlotte en ik waren daar geweldig van geschrokken en heb-ben haar toen ook naar de huisarts verwezen.'

Benders knikte. 'Ik heb hier met uw vrouw ook over gespro-ken', zei hij. 'Van haar begreep ik dat er ook problemen waren in de relatie tot haar dochter. Weet u daarvan?'

'Dat klopt, ja', beaamde Vergeer. 'Na Roberts dood had Van Dronkenoord vrij spel. Ilse trok steeds meer naar hem toe. Marlies stond daar machteloos tegenover.'

'Waarom denkt u dat Van Dronkenoord dat deed? Ik bedoel, wat dreef hem ertoe Ilse van haar moeder te vervreemden? Wat had Marlies hem misdaan?'

Vergeer keek Benders doordringend aan. 'Dat is de erfenis uit een ver verleden, inspecteur. Hoe oud bent u als ik vragen mag?'

Benders trok zijn wenkbrauwen op. 'Ik ben achtenvijftig', zei hij. 'Waarom vraagt u dat?'

'Marlies was vijfenvijftig', zei Vergeer. 'Ze heeft de oorlog niet eens meegemaakt. Toch voelde ze zich schuldig.'

'Schuldig waarover?'

Vergeer maakte een hulpeloos gebaar met zijn handen. 'Ik hoop dat wat ik u nu ga vertellen onder ons zal blijven', zei hij. 'Char-lotte zal het me niet in dank afnemen als ik u dit vertel.'

Benders knikte. 'Vertelt u gerust', zei hij. 'Ik gedraag me als een oester.'

Vergeer schraapte zijn keel. 'De ouders van Charlotte en Marlies waren, zoals dat werd genoemd, fout in de oorlog', begon hij aarzelend. 'Al ver voordat ons land werd bezet door Duitsland hadden ze zich bij de Nationaal Socialistische Beweging aangesloten. Over in hoeverre deze beweging fout was wil ik me niet uitlaten, maar het was niet de keuze van Charlotte of Marlies. Zij waren niet schuldig aan de misdaden die hun ouders hebben begaan. Toch kregen zij de straf.'

Benders knikte. Het begon hem te dagen. De zoon van een verzetsheld trouwde met een kind van het verraad. Daar móést de duivel zich wel in mengen.

'Van Dronkenoord liet geen gelegenheid voorbijgaan Marlies te herinneren aan de keuze die haar ouders hadden gemaakt', vervolgde Vergeer. 'Het liefst in het bijzijn van Ilse. Marlies ging daaraan kapot'

Letterlijk dus, dacht Benders. Hij herinnerde zich weer het moment dat hij Marlies voor het eerst had aangetroffen. Huilend aan de keukentafel. Om het verlies van haar dochter. Nu begreep hij dat het om nog veel meer moest zijn geweest.

Benders keek Vergeer aan en vroeg zich af of hij besefte dat hem zojuist een glashelder motief was aangereikt.

Alsof Vergeer zijn gedachten had geraden vertelde hij in alle eerlijkheid dat hij Van Dronkenoord meerdere keren dood had gewenst. 'Van Dronkenoord was een slecht mens', verklaarde hij. 'Ik durf dan ook te beweren dat hij indirect schuld heeft aan de dood van Marlies.'

'Dat is een zware beschuldiging, meneer Vergeer. Beseft u dat wel?'

De man knikte. 'Ik weet waar ik het over heb', antwoordde hij. 'Maar maakt u zich geen illusie. Ik was het niet. Bovendien zou ik de dood van Ilse niet op mijn geweten willen hebben. Haar dood betreur ik ten zeerste.'

Benders stond op uit zijn stoel. Die illusie had hij inderdaad niet. Het alibi van Vergeer en zijn vrouw was inmiddels gecontroleerd. Ze waren op die bewuste avond inderdaad bij hun dochter in Almere geweest.

Vergeer was ook opgestaan en vertelde Benders dat het hem

speet dat hij niet meer voor hem kon betekenen. 'Maar als u nog vragen hebt hoor ik dat natuurlijk graag van u', liet hij daarop volgen.

Benders knikte. 'Heeft Marlies het met u wel eens over Elena gehad?', vroeg hij.

Vergeer leek overrompeld. 'Elena, zei u?'

Benders knikte.

'In welk verband zou Marlies het ooit over haar moeten hebben gehad?'

'Dat zou ik van u willen horen.'

'Ik ken geen vrouw die Elena heet', antwoordde Vergeer beslist. Benders meende een licht gevoel van irritatie te horen. Alsof Vergeer plotseling genoeg kreeg van zijn aanwezigheid.

'Mijn vraag was ook niet of u haar kent', zei hij kalm. 'Ik wil alleen van u weten of Marlies ooit met u over Elena heeft gesproken.'

Vergeer schudde beslist zijn hoofd. 'U moet zich vergissen', zei hij. 'Als de vrouw, die u Elena noemt, een rol van betekenis heeft gespeeld in het leven van Marlies, zou ik dat hebben geweten.'

Vergeer kwam overtuigd over. Benders was er vrijwel zeker van dat hij niet bewust iets verzweeg om hem te misleiden. Toch bevreemdde het hem dat de naam Elena bij hem geen belletje deed rinkelen. Hij besloot om open kaart te spelen en vertelde Vergeer wat hij van Charlotte had gehoord.

Vergeer begon te knikken. 'Oh, bedoelde u haar', zei hij. 'Had dat dan meteen gezegd.'

Benders hoorde iets van afkeuring. Alsof Elena te onbelangrijk was om over te praten.

'Maar u denkt er toch niet serieus aan dat zij iets te maken kan hebben met de moord op Van Dronkenoord?', vervolgde Vergeer.

'Wij mogen niets uitsluiten', antwoordde Benders neutraal. 'Zolang het tegendeel niet bewezen is, moeten wij alle opties openhouden.'

Vergeer knikte. Benders zag iets van ongeloof. Hij besefte dat de ander hem een idioot vond. Alsof alleen een dwaas zou kunnen verzinnen dat een tachtigjarige vrouw zestig jaar na dato besluit haar ex-verloofde te vermoorden.

20

John verliet in opgewekte stemming het verpleeghuis. Moeder was goed te spreken geweest. Ze had zelf de rozen, die hij voor haar meegebracht, gesneden en in de vaas geschikt. Tijdens de wandeling door de tuin had ze verschillende keren zijn naam genoemd. Ze had genoten van het mooie herfstweer en bij de vijver had ze gevraagd te stoppen om de zwanen te bewonderen. Dit waren de momenten waarvoor hij leefde. Waar alles om was begonnen. Haar in de laatste fase van haar leven gelukkig te zien. De lente was haar ontnomen. Dat hij haar in de herfst van haar leven mocht leren kennen, beschouwde hij als een geschenk uit de hemel. Als een handreiking van boven.

Eenmaal buiten zette hij zijn zonnebril op. De zon scheen uitbundig, maar kleine stapelwolken gaven aan dat dit niet lang meer zou duren.Terwijl hij naar buiten liep dacht hij eraan dat hij zijn tas in de kamer van zijn moeder had laten staan. Hij draaide zich om en liep door de lange, hoge gang terug. In het voorbijgaan groette hij een man die hem ineens aan zijn adoptievader deed denken, net zo lang en statig.

Hij liep snel door. Hij wilde zijn stemming door de herinnering aan de man, van wie hij lang had gedacht dat hij zijn vader was, niet laten bederven. Toch ontkwam hij niet aan de film die zich weer aan hem opdrong. Zijn adoptie-ouders scheidden toen hij negentien jaar oud was. Een jaar later stierf zijn adoptiemoeder. Door zijn adoptievader werd zijn bestaan afgekocht. Hij kreeg ruim voldoende om op zijn gemak zijn studie te kunnen voltooien. Vanaf dat moment stond hij er alleen voor. Alleen in een wereld, waar tot dan toe de leugen had geregeerd.

Hij joeg die nare beelden uit zijn hoofd en liep snel door. Op het eind van de gang bleef hij even staan om op adem te komen. Daarna opende hij de deur van haar kamer. Ze sliep. Ze zag er vredig uit, als een slapend kind. Hij streek zijn hand over haar voorhoofd, pakte zijn tas en verliet geruisloos de kamer. Buiten gekomen zag hij dat de lucht was dichtgetrokken. De zon was verdwenen. Dankbaar dat hij moeder nog van het mooie weer had kunnen laten genieten, verliet hij het complex. Hij voelde zich ontspannen. Het gebeurde leek steeds meer naar de achtergrond te raken.

21

Benders was in alle vroegte met de trein naar Amsterdam vertrokken. Zijn keuze voor het openbaar vervoer had alles te maken met zijn weerstand tegen het autorijden in deze overvolle stad. Bovendien zou het nauwelijks kunnen vinden van een parkeerplek hem mateloos ergeren. Vandaag wilde hij een bezoek aan het Nederlands Instituut voor Oorlogsdocumentatie brengen, om een start te maken met het vinden van Elena. De vrouw op de foto.

Aangekomen op het Centraal Station besloot hij naar het instituut te lopen. Hij had nog ruim de tijd alvorens het gebouw, waarin het NIOD was gevestigd, zijn deuren voor bezoekers zou openen.

Op het zonovergoten stationplein krioelde het van komende en gaande mensen. Benders keek gedesoriënteerd om zich heen. Terwijl hij even de tijd nam om zijn richting te bepalen, sprak een man hem aan met de vraag of hij geïnteresseerd was in het *Z magazine*, de daklozenkrant van Amsterdam. Benders knikte en gaf de ander een twee euromunt. In ruil daarvoor vroeg hij hoe hij het beste naar de Herengracht kon lopen. Alsof hij op deze vraag was voorbereid, diepte de man een plattegrond van de binnenstad uit zijn broekzak en wees de inspecteur met zijn rechterpink de weg die hij moest volgen. Benders bedankte de ander en stak de krant onder zijn arm. Het was lang geleden dat hij de hoofdstad had bezocht. De laatste keer was met Eline geweest. Hij begon te rekenen. Drie jaar voor de scheiding, becijferde hij. Vijf jaar geleden dus. Slenterend over de Prins Hendrikkade dacht hij terug aan het moment dat Eline hem vertelde alleen verder te willen. Hoewel haar keuze hem op dat moment was overvallen, besefte hij later dat haar besluit de uitkomst was van een som waarvan hij zelf de getallen had bepaald. Het had niet gehoeven. Dat

speet hem nog het meest. Hoewel de scherpste kantjes er ondertussen af waren, voelde hij het gemis nog dagelijks. Als de
fantoompijn na een amputatie.

Benders maakte zich los uit zijn gedachten en keek op zijn
horloge. Over vijf minuten zou hij naar binnen kunnen. Hij
overwoog om ergens koffie te gaan drinken, maar gedreven
door nieuwsgierigheid verwierp hij dat idee. In plaats daarvan
versnelde hij zijn pas. Hij verliet de Prins Hendrikkade en liep
de Singel op. In de spiegeling van de gracht zag hij hoe dikke
stapelwolken het luchtruim vulden. De open hemel, waarmee
de dag was begonnen, dreigde zich te zullen sluiten.

Benders sloeg de Brouwersgracht in en baande zich een weg
langs de vele passanten. Hij verbaasde zich over de drukte op
dit vroege uur. Alsof er een massale uittocht gaande was. Eenmaal
op de Herengracht vertraagde hij zijn pas. Op tweehonderd meter
afstand stond het gebouw waarbinnen hij het antwoord hoopte vinden op de vraag die hem al zolang bezighield. Wie was
Elena? Wat kon deze vrouw betekenen voor het onderzoek?

Albert Visser, de man die Benders zou begeleiden naar de archieven van het instituut, vroeg de inspecteur een verklaring te
ondertekenen waarin stond vermeld dat hij de verkregen informatie niet voor doelen, anders dan voor zichzelf, zou gebruiken. Benders wist inmiddels dat dit behoorde tot de procedures die bij het NIOD gebruikelijk waren en plaatste zijn hand-
tekening. Daarna volgde hij de man door een stelsel van gangen, waarin hij zonder zijn gids gemakkelijk had kunnen ver-
dwalen. Benders had de indruk dat hij zich in een reusachtig
labyrint bevond. Hij had niet gedacht dat het archief zo groot
zou zijn en vroeg zich af of hij hier ooit wegwijs zou kunnen
worden.

Visser leidde hem langs ontelbare rijen archiefkasten en plan-
ken met dicht opeen geplaatste mappen. Hij vertelde Benders
tot in de details hoe het archief in elkaar zat.

'Het ziet er ingewikkelder uit dan u denkt', zei hij geruststellend, alsof hij Benders' gedachten had gelezen. 'Als u maar schematisch blijft zoeken, bereikt u vanzelf uw einddoel.'

Benders knikte. 'Ik hoop dat u gelijk krijgt,' zei hij, 'maar ik heb er een hard hoofd in.'

Visser glimlachte. 'Als ik zo vrij mag zijn, meneer Benders', zei hij. 'Waar bent u precies naar op zoek?'

'Naar namen uit het Velser verzet', antwoordde Benders.

'Is daar familie van u bij betrokken geweest?'

Benders schudde zijn hoofd. 'Noem het maar persoonlijke belangstelling', zei hij. 'Meer is het niet.'

'Of bent u soms bezig met een onderzoek naar de Velser affaire?'

Benders zag zijn eigen verbaasde blik op een monitor die ze zojuist passeerden. 'Ik ben bang dat ik niet begrijp wat u bedoelt', zei hij. 'Wat is de Velser affaire?'

Visser keek de inspecteur argwanend aan. 'U bent anders niet de eerste die in de archieven van het Velser verzet komt neuzen', vervolgde hij. 'Velen zijn u voorgegaan.'

Benders hoorde aan de toon van Visser dat hij verongelijkt was. Alsof hij vermoedde dat Benders zich met opzet van den domme hield.

'Ik meen het werkelijk', haastte hij zich te zeggen. 'De Velser affaire zegt mij niets.'

Ze bleven staan voor een hoge stalen archiefkast, waarop een cijferslot zat gemonteerd.

Visser nam Benders onderzoekend op. 'Neem me niet kwalijk', zei hij verontschuldigend. 'Ik dacht dat u me voor de gek hield.'

Benders schudde zijn hoofd. 'Daar heb ik geen reden toe,' zei hij, 'maar u hebt me wel nieuwsgierig gemaakt. Wat precies is de Velser affaire?'

Visser legde uit dat in deze kwestie leden van de politie en verzetsmensen joden, communisten en linkse idealisten aan de Duitsers zouden hebben verraden. Er werd volgens hem zelfs beweerd dat dit vanuit Londen werd aangestuurd door de Nederlandse regering in ballingschap.

Benders luisterde met stijgende belangstelling hoe volgens Visser de afgelopen decennia pogingen waren ondernomen om deze zaak uit te zoeken. Ook het NIOD zou zijn benaderd om hieraan zijn steentje bij te dragen, maar om onduidelijke reden was dit steeds tegengehouden.

'Tegengehouden door wie?', vroeg Benders.

Visser trok zijn schouders op. 'Wie het weet, mag het zeggen', antwoordde hij. 'Er wordt beweerd dat de politiek hierachter zit, maar bewijzen daarvoor zijn er niet.'

Benders dacht na. Hij vroeg zich af of er een link zou kunnen bestaan tussen deze Velser affaire en de zaak waaraan hij werkte. En zo ja, in welk wespennest hij dan terecht zou komen. 'U vertelde mij zo-even dat ik niet de enige ben die de archieven van het Velser verzet in wil kijken. Kunt u mij ook zeggen wie mij zijn voorgegaan?'

Visser knikte. 'Dan noem ik als eerste mevrouw Braam', antwoordde hij. 'Zij is hier kind aan huis.'

Benders pakte zijn notitieboekje. 'Mevrouw Braam zei u?'

Visser knikte. 'De schrijfster Conny Braam', verduidelijkte hij. 'Zij heeft voor een deel hier haar onderzoek gedaan voor haar roman *Het Schandaal* en heeft zo'n beetje met iedereen die iets met het Velsens verzet te maken had, gesproken. U zou uzelf dus een hoop werk kunnen besparen door met haar te gaan praten. Mevrouw Braam kan u meer vertellen dan dat er hier in de archieven staat vermeld.'

Benders keek om zich heen. Als het waar was wat Visser beweerde, kon hij zich inderdaad de moeite besparen in deze gigantische papierwinkel te gaan zoeken. Hij besloot het advies op te volgen en vroeg hem het adres van Conny Braam, de vrouw die hem wellicht verder kon helpen.

Anderhalf uur later zat Benders in de trein die hem naar Beverwijk voerde. Van daar zou hij met de bus naar IJmuiden vertrekken. Tijdens het gesprek met Visser over Conny Braam was bij hem een beeld ontstaan van een bevlogen vrouw. Een voormalig anti-apartheidscoryfee die haar halve leven in dienst had gesteld om misstanden als apartheid en hetzes tegen het communisme aan de kaak te stellen.

Benders besefte dat deze vrouw wel eens van grote betekenis voor hem zou kunnen zijn. Hij had haar gebeld en gevraagd of het gelegen kwam wanneer hij dezelfde middag nog zou langskomen. Na een korte uitleg over de reden van zijn bezoek liet ze hem weten dat het oké was.

Ongeduldig keek hij uit het raam. Het was zacht beginnen te regenen. In de verte zag hij hoe witte pluimen rook uit de schoorstenen van staalfabriek Corus omhoog kringelden. De trein naderde Beverwijk. Terwijl de conducteur hem naar zijn plaatsbewijs vroeg, realiseerde hij zich dat hij die morgen zonder jas de deur was uitgegaan. Hij vloekte binnensmonds. Als het straks harder ging regenen, zou hij als een verzopen kat bij mevrouw Braam aankomen.

De trein stopte. Benders stond op. Nadat hij de deuren had geopend, zag hij dat zijn angst bewaarheid was geworden. Het goot. Nijdig stapte hij uit en spoedde zich naar de uitgang. Eenmaal buiten overzag hij het busstation. Een bonte verzameling van regenjassen en paraplu's domineerden het straatbeeld. Benders keek om zich heen en ontdekte vlak vóór hem een taxistandplaats. Na een korte tweestrijd verwierp hij de gedachte aan onnodige verkwisting en stapte in een van de klaarstaande taxi's.

Nog geen halfuur later opende Conny Braam de voordeur van een klein houten huis. Ze overviel hem onmiddellijk met de vraag of hij er bezwaar tegen had om hun gesprek buiten te houden.

'Ik moet er even uit', verklaarde ze. 'Ik zit de hele ochtend al binnen en heb nu even behoefte aan frisse lucht.'
Zonder zijn antwoord af te wachten trok ze haar jas aan en pakte een paraplu uit een hoek van de hal.
'Ik neem tenminste aan dat jij inspecteur Benders bent', liet ze er glimlachend op volgen.
Benders knikte verward. 'Zeg maar Frank,' zei hij, 'maar.......'
'Maak je geen zorgen, Frank. Je mag bij mij onder de paraplu.'
Ze trok de voordeur achter zich dicht en stak het regenscherm op.
'Ken je IJmuiden?', vroeg ze nadat ze haar arm in de zijne had gestoken.
Benders schudde zijn hoofd. 'Niet echt', antwoordde hij. 'Drie jaar geleden was ik hier in verband met een moordonderzoek, maar dat beperkte zich tot een gedeelte van het strand en de duinen.'*
'Er moet dus eerst een moord worden gepleegd om je te bewegen naar IJmuiden te komen?', vroeg ze lachend.
Benders lachte mee. De vrouw naast hem bleek met groot gemak in staat het formele gedoe van zijn bezoek uit de lucht te halen. Ze gedroeg zich alsof ze hem al jaren kende.
'Ik beloof je dat mijn volgende bezoek aan deze kanaalstad uit vredelievendere belangstelling zal bestaan', antwoordde hij.
Ze liepen richting de sluizen, waar een containerschip in de wacht lag. Een groep meeuwen cirkelde luid krijsend om het vaartuig heen, alsof ze protesteerden tegen het in gebruik nemen van hun territorium.
'Vertel me in het kort wat je nu precies van me wilt horen', kwam Conny terzake.
Benders vertelde haar over het doel van dit bezoek en zag aan het geregeld knikken van haar hoofd dat de schrijfster hem begreep.
'De naam Van Dronkenoord zegt mij wel wat', zei ze, nadat Benders zijn verhaal had afgerond. 'Volgens mij heeft hij geen

---

* De reigerman

133

sleutelrol in de affaire gespeeld, maar zijn naam kan ik me wel herinneren.'

Benders voelde haar arm uit de zijne glijden. Het was droog geworden en Conny klapte de paraplu weer in.

'Maar Elena zegt me niets', vervolgde ze. 'Zij zou de verloofde van Van Dronkenoord geweest moeten zijn?'

Benders knikte. 'Zo gaat het verhaal', antwoordde hij. 'Ik zou dit bevestigd willen zien door mensen die Van Dronkenoord hebben gekend.'

'Je bedoelt mensen uit het toenmalige verzet.'

'Ja, of anderzijds. Maar omdat hun verloving vermoedelijk plaatsvond in bezettingstijd, lijkt het mij aannemelijk dat medeverzetsstrijders daarvan op de hoogte moeten zijn geweest.'

Conny keek hem aan. Ze leek na te denken. 'Als we ervan uitgaan dat ze inderdaad verloofd waren, gaat het jou dus eigenlijk om de vraag waarom deze verloving weer is verbroken.

Benders grijnsde. 'Ik kan nog een goede collega gebruiken', zei hij.

'Leuk aanbod, maar ik bedank. Als we straks terug zijn, zal ik je de namen en adressen geven van de mensen die voor jou van belang kunnen zijn. Maar ik waarschuw je, Frank. Benader ze met de grootste voorzichtigheid. Ze zijn oud en willen het liefst vergeten.'

Benders beloofde haar raad op te volgen. Ze liepen zwijgend verder langs het sluizencomplex. Het lange, grijze haar van de schrijfster waaide voor haar ogen. Benders onderdrukte de neiging het uit haar gezicht te halen en vroeg wat haar had bewogen een boek over de Velser affaire te schrijven.

'In mijn jeugd hoorde ik mijn vader en mijn ooms tijdens familiebijeenkomsten vaak op zachte toon over "De Affaire" spreken', legde ze uit. 'Jong als ik was, vroeg ik mijn vader wat ze daarmee bedoelden, maar kreeg dan steevast te horen dat dat mij niet aanging. Ik denk dat toen de kiem is gelegd voor mijn latere belangstelling. Ik móést het weten.'

'En weet je het nu?'

Conny schudde haar hoofd. 'Nog niet alles', antwoordde ze. 'Maar dat er iets goed mis is gegaan, staat voor mij als een paal boven water.'

'Er komt dus nog een vervolgonderzoek begrijp ik?'

'Als het aan mij ligt wel. Maar daar heb ik een instituut als het NIOD bij nodig. Dat kan ik niet meer alleen.'

'Benders knikte. 'Ik begrijp het', zei hij. 'Daar is dus geld voor nodig.'

Conny antwoordde niet. In plaats daarvan stond ze plotseling stil en pakte Benders bij zijn arm.

'Weet je zeker dat ze Elena heette?', vroeg ze onverwachts. 'Ik bedoel, kan het ook zijn dat ze haar Lenie noemden?'

Benders keek de schrijfster verbaasd aan. Hij had even de tijd nodig om de vraag tot zich door te laten dringen.

'Dat weet ik niet', antwoordde hij ten slotte. 'Maar Lenie kan natuurlijk haar roepnaam zijn geweest.'

Conny staarde over het kanaal. Met haar vingers kamde ze het in haar gezicht gewaaide haar naar achteren. 'Als het klopt', zei ze peinzend. 'Dan denk ik dat wij elkaar lotgenoten kunnen noemen.'

Benders keek haar niet-begrijpend aan. 'Wat bedoel je in gods-naam?', vroeg hij verward. Conny trok hem aan zijn arm. 'Kom', zei ze. 'We gaan terug naar mijn huis. Ik zal je daar proberen uit te leggen wat ik bedoel.'

'De naam Lenie van Wieringen heb ik meerdere keren horen vallen. Zij moet ook deel hebben uitgemaakt van de Velser verzetsgroep, maar ik heb haar nooit kunnen traceren.'

'In welk verband heb je haar naam dan horen vallen?', vroeg Benders.

Ze zaten in de kleine achterkamer van Conny's huis. De kran-tenknipsels en aantekeningen over de Velser affaire lagen ver-spreid over tafel. Benders schonk een laatste restje bier in zijn glas en keek de schrijfster vragend aan.

'Volgens zeggen zou ze een verhouding met een Duitse sol-

daat hebben gehad. Om die reden zou ze ook zijn geliquideerd.'
'Ze leeft dus niet meer?'
Conny stak een klein sigaartje in de brand en schudde haar hoofd.
'Waarschijnlijk niet, nee', antwoordde ze.
Benders boog zich naar voren. 'Heb ik dat goed verstaan?', zei hij. 'Twijfel jij over de juistheid van haar dood?'
Conny stond op. 'Kan ik je nog blij maken met een biertje?'
'Je zou me blijer maken met een eerlijk antwoord.'
'Je krijgt beide', beloofde ze.
Benders knikte en keek haar na. Ze was van zijn lichting. Een strijdbare vrouw die het begrip rechtvaardiging niet als een loze kreet kon accepteren.
'Ik heb nooit hard kunnen krijgen dat Lenie van Wieringen daadwerkelijk is gedood', vervolgde Conny, nadat ze een flesje Grolsch op tafel had neergezet. 'Het feit dat ze zou zijn geliquideerd berust puur op geruchten. Zeker is wel dat haar lichaam nooit is gevonden.'
Benders schonk zijn glas vol en knikte. 'Eigenlijk behoort ze dus tot de vele duizenden vermiste slachtoffers uit de Tweede Wereldoorlog', zei hij.
Conny nam een trek van haar sigaar en knikte. 'Zo kun je dat inderdaad zien. Maar het blijft natuurlijk vreemd dat er in de archieven nergens melding wordt gemaakt van haar liquidatie. Dat leden uit het verzet zich tijdens de bezetting ontpopten tot collaborateur kwam regelmatig voor. Het was dan ook gebruikelijk deze verraders te executeren. Zij vormden immers een te groot risico voor de veiligheid van de overige leden van de verzetsgroep. Het was letterlijk zij of wij.'
'Begrijp ik goed dat je in het geval van Lenie van Wieringen twijfelt aan haar collaborateurschap?'
Conny knikte. 'In mijn gesprekken met de mensen die haar hebben gekend, miste ik bij sommigen van hen de overtuiging. In de toon waarop er door hen over Lenie van Wieringen

werd gesproken, hoorde ik niet de verachting die men door-
gaans heeft voor collaborateurs. Alsof ze twijfelden over de
juistheid van haar status.'

Benders dronk zijn glas leeg en dacht na . Hij vroeg zich af
wat het voor het onderzoek zou betekenen als de vrouw op de
foto inderdaad Lenie van Wieringen bleek te zijn en in welke
richting hij dan moest gaan denken. Het antwoord op die vraag
wist hij niet. Nog niet tenminste.

*

Benders stapte die avond halfslaperig met de mobiele telefoon
in zijn hand uit de trein. Hij had het aanbod van de schrijfster om bij haar te blijven eten niet willen afslaan en was tot
laat in de avond blijven tafelen.

Conny bleek een uitstekende kokkin en wijnkenner te zijn. De
Sauvignon die ze bij haar zelfbereide visschotel met kabel-
jauw had geserveerd, smaakte hem zo goed dat hij meer had
gedronken dan goed voor hem was. Conny was tevens een
begenadigd vertelster gebleken. Ze had hem geen enkel moment
verveeld met de verhalen over haar strijd tegen apartheid en
het gevecht dat ze moest leveren om de waarheid over de Velser
affaire boven tafel te krijgen. De uren waren voorbij gevlogen. Voordat hij er erg in had was het elf uur geworden en was
hij genoodzaakt een taxi te bestellen om hem naar station Beverwijk te rijden. In Alkmaar had hij de longen uit zijn lijf moeten rennen om de laatste trein naar Hoorn te halen, waarna
hij - eenmaal vertrokken - onmiddellijk in slaap was gevallen.
Wakker geschrokken door het afgaan van zijn mobiele telefoon had hij nog juist op tijd in Hoorn uit weten te stappen.
Eenmaal op het perron bracht hij de verbinding tot stand. Het
was Nikka. Ze vroeg hem of het gelegen kwam dat ze belde.
'Ik heb eigenlijk niets belangrijks te melden', voegde ze eraan
toe. 'Ik wilde gewoon je stem even horen.'

Benders wachtte tot de trein was vertrokken en antwoordde toen dat het oké was.

'Waar ben je?', vroeg Nikka. 'Het was net of ik een trein hoorde vertrekken.'

Benders vertelde haar waar hij zich bevond en waar hij vandaan kwam.

'Ik heb dus je advies om mijn gevoel te volgen ter harte genomen en heb de indruk dat ik op de goede weg zit. Hoewel ik nog geen idee heb waar die weg naartoe leidt.'

'Als ik jouw verhaal zo hoor, kan het nog wel eens een gecompliceerde zaak worden', zei Nikka. 'Word je een beetje ondersteund door Kraaienbrink?'

Benders hoorde een ondertoon van bezorgdheid, alsof ze bang was dat de zaak hem boven het hoofd zou groeien.

'Ik heb zijn steun niet nodig', antwoordde hij geprikkeld. 'Bovendien is Kraaienbrink niet mijn type commissaris.'

'Het helpt je niet om hem om die reden te negeren, Frank', zei Nikka bestraffend. 'Arnold is een goede commissaris. Hij zal je zeker steunen.'

'Begrijp ik hieruit dat jij Kraaienbrink kent?'

'Ja. Ik ken Arnold heel goed. Hij was een studiegenoot van me. Ik heb hem voorgedragen.'

Benders wist niet wat hij hoorde. Hij bleef staan voor de uitgang van het station en staarde verbaasd naar het spreekgedeelte van zijn mobiele telefoon, alsof hij het apparaat niet vertrouwde.

'Bedoel je hiermee te zeggen dat jij deze arrogante kwast bij uitstek geschikt vond om ons korps te leiden?'

'Ja, en dat vind ik nog steeds.'

'Ik vind hem nogal uit de hoogte.'

'Onzin. Gun jezelf de tijd hem beter te leren kennen. Arnold is de beroerdste niet. En arrogant is hij al helemaal niet.

'Maar............'

'Vertrouw me nou maar, Frank. Praat met hem. Hij zal je zeker steunen.'

Benders viel stil. Had hij zich dan zo vergist? Was de arrogantie van Kraaienbrink slechts een pose? Een pose die moest verhullen hoe kwetsbaar hij was?

'Ben je daar nog, Frank?'

'Ja, ja, sorry, ik was even in gedachten.'

'Waar dacht je dan aan?'

'Aan jou.'

Benders hoorde haar grinniken. 'Je bent een liegbeest', zei ze. 'Maar wel één van het lievere soort. Hoe gaat het verder met je?'

'Goed, maar het zou beter gaan als ik jou weer om me heen had.'

'Misschien kunnen we weer eens afspreken. Als vrienden, bedoel ik.'

Benders hoorde de aarzeling, maar was niettemin verheugd met deze nieuwe opening. 'Dat lijkt me fantastisch', haastte hij zich te zeggen. 'Wanneer had je gedacht?'

'In ieder geval niet op korte termijn. Mireille en ik gaan eerst nog een weekend weg.'

Benders verbeet zijn teleurstelling. 'Ik hoop dat ik zolang kan wachten', zei hij. 'Hoe gaat het trouwens met je dochter?'

'Heel goed. Mijn hoop groeit met de dag. Ze is sterker geworden. Ze krijgt steeds meer zelfvertrouwen.'

'Na wat je allemaal over Mireille hebt verteld, ben ik nieuwsgierig naar haar geworden. Ik hoop je dochter nog eens te ontmoeten.'

'Wie weet, Frank. Maar ik ga nu hangen, want er staat iemand in de wacht. Tot gauw.'

De verbinding werd verbroken. Benders liep zacht neuriënd het station uit en voelde dat het motregende. Maar dat maakte hem weinig uit. Binnenkort zou hij Nikka weer ontmoeten.

22

Toen Benders de volgende ochtend op het bureau arriveerde, werd hij staande gehouden door Kootstra. 'Er is gisteren door ene mevrouw Van Someren naar jou geïnformeerd', zei hij. 'Ze vertelde iets te hebben dat misschien van belang kon zijn.' Benders keek zijn collega vragend aan. 'Heeft ze die informatie achtergelaten?'

Kootstra schudde zijn hoofd. 'Ze wilde jou dat persoonlijk laten zien. Ik heb haar gezegd dat jij vandaag contact met haar op zou nemen.'

Benders mompelde dat dat in orde zou komen en wilde juist zijn weg naar boven vervolgen toen hij achter zich iemand zijn naam hoorde roepen. Het was Kraaienbrink.

De commissaris wenkte hem naar zijn kantoor. Het viel Benders op dat dat gepaard ging met een vage glimlach, of iets wat daarvoor door moest gaan. Hij draaide zich om en liep naar de kamer van zijn baas.

'Ga zitten, Frank.'

Benders wist niet wat hij hoorde en nam plaats.

'Hoe gaat het met het onderzoek?'

'Dat zal nog wel even tijd vergen', antwoordde Benders. 'Maar ik ben niet ontevreden.'

Kraaienbrink vouwde zijn handen en keek Benders afwachtend aan. Alsof hij op een vervolg wachtte. Maar Benders bleef zwijgen. Hij was nog niet van plan om uit te wijden over zijn bevindingen.

'Ik heb de indruk dat jij nogal solistisch bent aangelegd', zei Kraaienbrink ten slotte. 'Of zie jij dat anders?'

'Als u daarmee wilt zeggen dat ik geen teamspeler ben, bestrijd ik dat.'

Kraaienbrink schudde zijn hoofd. 'Dat beweer ik ook niet', zei hij.

Hij schraapte zijn keel en leek naar woorden te zoeken om Benders duidelijk te maken wat hij dan wel wilde beweren. 'Goed', zei hij uiteindelijk. 'Laat ik er verder maar geen doekjes om winden. Ik heb Nikka Landman gesproken en ik moet zeggen dat dat verhelderend heeft gewerkt.'

Benders ging wat verzitten en probeerde zich te ontspannen. 'U hebt Nikka gesproken?', vroeg hij schaapachtig.

De commissaris knikte. 'Ik zou willen dat we elkaar in het vervolg tutoyeren, Frank', zei hij.

Benders keek Kraaienbrink argwanend aan. 'Vanwaar die plotselinge ommekeer?', vroeg hij verbaasd.

Kraaienbrink grijnsde. 'Ik zal daar eerlijk over zijn', zei hij. 'Nikka heeft me weten te overtuigen van het belang hiervan. Ze liet me weten dat jij het best gedijt in een informele sfeer. Daarnaast vertelde ze me dat jij wat belangrijks te vertellen had. Klopt dat?'

Inwendig verwenste Benders Nikka's actie en dacht na over wat hij tegenover Kraaienbrink zou gaan zeggen.

'Ik wilde hier eigenlijk mee naar buiten komen als ik wat meer zou weten', verklaarde hij uiteindelijk. 'Ik betreur het dat Nikka me voor is geweest.'

Kraaienbrink ontvouwde zijn handen en sloeg onverwacht hard met zijn vuist op tafel. 'Gelul, Benders!!', snauwde hij. 'Ik ben hier niet aangesteld om vliegen te vangen. Je bent mij verantwoording schuldig over je doen en laten. Dus voor de draad ermee!!'

Benders keek geschrokken naar het rood aangelopen gezicht van de commissaris en besefte dat hem geen andere keus overbleef dan open kaart te spelen.

Terwijl Benders vertelde, luisterde Kraaienbrink aandachtig, maakte wat aantekeningen in een blocnote en vroeg een aantal keren om bepaalde details wat verder toe te lichten.

Nadat hij was uitverteld, knikte de commissaris en staarde naar zijn blocnote. 'Interessant', zei hij. 'Denk je werkelijk

dat er een verband bestaat tussen de Velser affaire en onze zaak?'
Benders schudde zijn hoofd. 'Dat vind ik minder belangrijk',
zei hij. 'Als Lenie van Wieringen de Elena van de foto blijkt
te zijn, is er een schakel die grondig onderzocht moet worden.
In hoeverre de Velser affaire daarin een rol speelt, beschouw
ik als een bijkomstigheid.'

'Ik ben bang dat niet iedereen dat met je eens is, Frank.'

Benders keek de commissaris vragend aan. 'Ik snap, denk ik,
niet wat je bedoelt', zei hij aarzelend.

Kraaienbrink stond op uit zijn stoel en ging op zijn bureau,
voor Benders, zitten. 'De affaire is een politiek gevoelig onderwerp', zei hij kalm. 'Discretie is dus gewenst.'

Benders voelde zijn nekharen omhoogkomen. 'Als deze discretie mij belemmert in mijn onderzoek ben ik bang dat ik je
moet teleurstellen', zei hij fel.

De commissaris schudde zijn hoofd. 'Je begrijpt me verkeerd',
zei hij. 'Ik heb veel over de Velser affaire gelezen. Braam noemde haar boek terecht *Het Schandaal.* Wat daar destijds in
Velsen is gebeurd, was schandalig. Zo schandalig dat de
Nederlandse regering er alles aan gelegen is om dit stukje geschiedenis voor het nageslacht verborgen te houden.'

Benders keek Kraaienbrink verrast aan. 'Je bedoelt dus te zeggen dat ons onderzoek in stilte moet doorgaan.'

De commissaris knikte. 'Precies', zei hij. 'We houden alles
binnenskamers. Geen pers. Geen mededelingen naar buiten,
aan wie dan ook. Mevrouw Braam zou deze gelegenheid wel
eens kunnen aangrijpen om de Velser affaire weer onder de
aandacht te krijgen. Maar wij kunnen dat voor ons onderzoek
niet gebruiken. Zodra Den Haag lucht krijgt van onze naspeuringen sluit ik niet uit dat zij zich daar met de zaak gaan bemoei-
en. Versta me goed. Persoonlijk zou ik niets liever willen dan
dat de affaire de aandacht krijgt die het verdient, maar ik heb
me te zeer in deze corrupte zaak verdiept om te geloven in de
integere bedoelingen van de politiek.'

Benders knikte opgelucht. Zijn vijandige houding naar Kraaienbrink was plotsklaps verdwenen. Nikka had gelijk, besefte hij. De commissaris zou hem steunen.

*

Zodra Benders terug in zijn kamer was, werd er op zijn deur geklopt. Na zijn "binnen" stapte Paula zijn kamer in. Hij zag onmiddellijk dat ze op oorlogspad was.

'We zouden nog een werkoverleg houden', begon ze verwijtend. 'Het lijkt er steeds meer op dat jij deze zaak in je eentje wilt klaren.'

Benders hoorde haar woede en knikte schuldbewust. Hij besefte dat hij Paula een verklaring schuldig was.

'Je hebt gelijk', zei hij. 'Haal Tjeerd maar even. Jullie hebben recht op uitleg.'

Zodra Kootstra naast Paula had plaatsgenomen, vertelde Benders beide rechercheurs wat hij de afgelopen vierentwintig uur had ontdekt.

'Toegegeven,' besloot hij, 'het zijn louter veronderstellingen die zijn gebaseerd op mijn gevoel. In hoeverre die juist blijken te zijn, moet natuurlijk nog bewezen worden.'

'Wanneer begon dat gevoel?', vroeg Kootstra. 'En wat was de aanleiding?'

'Eigenlijk is dat direct begonnen na de moord op Tom Van Dronkenoord. Ik begreep onmiddellijk dat hier geen sprake was van een gewone moord. Het moest een afrekening zijn. Een secuur uitgevoerde terechtstelling volgens een van tevoren bedacht scenario .'

Kootstra knikte. 'Dat verklaart dan ook waarom het meisje is gewurgd en niet doodgeschoten', zei hij.

'Exact', zei Benders. 'Haar aanwezigheid stond niet in het draaiboek van de moordenaar. Zij verdiende niet de kogel, maar moest uit de weg worden geruimd uit lijfsbehoud.'

'Maar waarom denk je dat die Elena een rol speelt in deze geschiedenis?', vroeg Paula. 'Het is toch ondenkbaar dat zij de hand kan hebben gehad in deze dubbele moord.'

'Op die vraag moet ik het antwoord natuurlijk nog schuldig blijven', antwoordde Benders.

'Misschien kreeg Elena kinderen', opperde Kootstra. 'Kinderen die zich wilden wreken op wat hun moeder is aangedaan.'

'Dat is natuurlijk een mogelijkheid', zei Benders. 'Maar om antwoord op die vraag te krijgen, zullen we eerst Elena moeten vinden.'

'Als ze tenminste nog leeft', zei Paula.

Benders knikte. 'Laten we dat maar hopen', zei hij. 'Tenslotte kunnen we in dit onderzoek best een meevaller gebruiken.'

23

John staarde verbijsterd naar de telefoon. Zojuist had hij te horen gekregen dat zijn moeder de afgelopen nacht in haar slaap was overleden. Hij kon het nauwelijks geloven. Gisteren was hij nog bij haar geweest.

Onwillekeurig moest hij terugdenken aan een telefoontje van lang geleden. Hij was toen twintig. Ook toen kwam de boodschap volkomen onverwacht en werd zijn komst dringend gewenst. Destijds had de vrouw, van wie hij dacht dat het zijn moeder was, op sterven gelegen.

Hij herinnerde zich hoe ze hem op haar sterfbed vertelde dat het leven eindig was en dat gemaakte fouten veelal onomkeerbaar bleken. Na haar overlijden begreep hij wat ze hem had willen zeggen. Tussen de verzekeringspolissen vond hij de adoptiepapieren. Papieren waaruit duidelijk werd dat zijn bestaan was opgebouwd uit leugens. Leugens verpakt als waarheid. Het was toen dat hij het besluit had genomen om zich nooit meer aan iemand te binden. Een voornemen dat hij trouw was gebleven.Totdat hij Elena vond. Zij werd de vrouw aan wie hij zich trouw zwoer. Voor wie hij alles wilde betekenen. Aan wie hij zich wilde binden. Dat ze nu niet meer leefde, kon hij niet bevatten. Gisteren was ze nog zo goed geweest. Hadden ze samen gelachen en thee gedronken in de recreatiezaal. Aan wie het maar horen wilde, had ze verteld dat hij haar kind was. Hij schudde wanhopig zijn hoofd. Ze moeten zich vergissen, dacht hij opstandig.

Drie uur later stond hij in het mortuarium. Er was geen sprake van een vergissing. Elena was dood. Ze had een hartstilstand gekregen.

De arts, die hij hierover sprak, verzekerde hem dat ze niet had geleden. Dat was ook te zien. Ze lag er mooi bij. Haar witte gezicht straalde iets vredigs uit, alsof ze had ingestemd met haar dood.

Ze droeg de paarse blouse, die hij een maand geleden voor haar had gekocht. Paars stond haar goed. Het paste bij haar. Ze was een knappe vrouw. Op de foto's van vroeger, die hij van haar had, was duidelijk te zien hoeveel hij op haar leek. Vanaf hun eerste ontmoeting begreep hij dat ze niet alleen uiterlijk, maar ook innerlijk nauwelijks van elkaar verschilden. Elena was, evenals hij, iemand van weinig woorden en in die stilte hadden ze elkaar altijd begrepen.

24

De volgende ochtend om negen uur ging de telefoon op de kamer van Benders. Amper binnen pakte hij de hoorn en noemde zijn naam. Eerst herkende hij de stem niet, maar later begreep hij dat het Helma van Someren was. Hij was vergeten de vrouw de vorige dag terug te bellen en maakte daarvoor zijn excuses. 'Vindt u het goed als ik straks even bij u langskom?', vroeg Helma. Benders raadpleegde zijn agenda en ontdekte dat hij om tien uur een werkoverleg had.

'Schikt het u vanmiddag om twee uur?', vroeg hij.

Het duurde even, voordat de vrouw antwoordde. 'Vanmiddag kan ik niet', zei ze ten slotte.

'Kunt u de informatie die u voor mij hebt niet telefonisch doorgeven?'

'Nee. Dat kan niet.' Het antwoord kwam snel en resoluut.

'Hoe laat kunt u hier zijn?'

'Binnen een kwartier.'

'Oké, komt u dan maar gelijk.'

Benders begon zijn bureau op te ruimen en vroeg zich ondertussen af waarom Helma haar informatie niet telefonisch wilde doorgeven. Was het dan zo belangrijk dat ze die per se persoonlijk wilde komen vertellen? Of wilde ze gewoon interessant doen? Benders had dat meer meegemaakt. Getuigen die het spannend vonden in de zaak te worden betrokken en de politie met zinloze zaken lastigvielen. Maar Helma van Someren leek hem daar de vrouw niet naar. Integendeel, zij leek hem juist een integer persoon.

Na nauwelijks tien minuten tijd werd er op de deur geklopt. Benders moest even goed kijken om te beseffen dat degene die binnenkwam de werkster van Van Dronkenoord was. Hij wees haar naar de bezoekersstoel voor zijn bureau en maakte met een handgebaar duidelijk dat ze kon beginnen met haar verhaal.

'Er is iets dat ik u wil laten zien', begon ze. Ze maakte een tas open en pakte daar een enveloppe uit. Ze stak hem omhoog en wees Benders op het adres.

'De enveloppe is in 1946 verstuurd vanuit Rotterdam naar de geachte heer T. van Dronkenoord. Toen nog woonachtig in IJmuiden.'

Benders hoorde haar opwinding en keek verbaasd naar de deels gescheurde enveloppe. Hij vroeg zich af wat voor belangrijk nieuws deze kon bevatten.

'Helaas was hij leeg,' vervolgde Helma, 'maar de naam van de afzender zette mij aan het denken.'

Ze draaide de enveloppe om en legde hem neer op het bureau. Benders boog zich naar voren en trok het vergeelde omslag naar zich toe. *Elena* las hij tot zijn verbijstering. Hij probeerde zijn ongeloof te verbergen en keek de vrouw aan.

'Waar vond u dit?', vroeg hij zo neutraal mogelijk.

'Eigenlijk vond ik hem bij toeval', antwoordde Helma. 'Een paar weken voor zijn dood ruimde ik de kast van Tom op. Ik vond daar een donkerblauw colbert, waarvan ik wist dat hij deze nooit meer droeg. Het colbert was van een mooie kwaliteit. Ik vroeg Tom wat hij daarmee wilde. Hij antwoordde me dat ik het wel weg mocht doen. Ik heb het colbert toen meegenomen, voor mijn man.'

Benders keek de vrouw met een onderdrukte glimlach aan. Helma keek schuldig. Alsof ze verwachtte dat hij haar van diefstal ging beschuldigen.

'U vond deze enveloppe dus in het colbert?'

Helma knikte opgelucht. 'Ik wilde het naar de stomerij brengen', zei ze. 'Tijdens het controleren van de zakken vond ik de enveloppe. Hij zat dubbelgevouwen onderaan in de binnenzak. Normaal had ik er verder geen aandacht aan geschonken, maar omdat u me laatst naar Elena vroeg, dacht ik dat ik er verstandig aan deed om u dit te laten zien.'

'Dat hebt u goed gedacht', zei Benders. 'Vindt u het goed als ik de enveloppe voorlopig hier houd?'

'Geen probleem', antwoordde Helma. 'Al begrijp ik niet goed waarom deze Elena zo belangrijk……'

Benders liet Helma niet uitspreken en stond op uit zijn stoel. 'Laten we het er maar op houden dat deze enveloppe een aanvulling kan zijn op ons onderzoek', antwoordde hij glimlachend. 'Meer kan ik er nog niet over zeggen.'

Benders bracht de vondst van de enveloppe een uur later tijdens het werkoverleg ter sprake.

'Als toeval geen rol speelt, kunnen we er dus vanuit gaan dat Elena van Wieringen niet door haar medeverzetsstrijders is geliquideerd', sloot hij af. Hij hoorde zijn eigen triomf en voelde dat het nieuws voor een opgewonden stemming zorgde.

'Is die Helma van Someren te vertrouwen?', vroeg Kootstra. 'Ik bedoel: kan ze deze enveloppe al niet langer in haar bezit hebben en daar zelf de afzender op hebben geschreven?'

'Waarom zou ze dat hebben gedaan?', vroeg Paula. 'Dat heeft voor haar toch geen enkel nut?' Benders dacht na. Hoewel hij de kans klein achtte dat de werkster uit sensatiezucht had gehandeld, besloot hij toch het zekere voor het onzekere te nemen. 'Tjeerd heeft gelijk', zei hij. 'We laten het handschrift onderzoeken. Op Tjeerds vraag of ze te vertrouwen is, kan ik zeggen dat ik daaraan nauwelijks twijfel. Helma van Someren lijkt me een integere vrouw. Het zou me verbazen als dit bewijsstuk zou zijn vervalst, maar we mogen natuurlijk geen enkel risico nemen.'

Er volgde een instemmend gemompel en Kootstra keek Benders dankbaar aan.

Even later merkte Paula op, dat met de vondst van de enveloppe het moordmotief op losse schroeven kwam te staan. 'Als Elena niet door haar medeverzetsstrijders is omgebracht, lijkt

wraak me geen aannemelijke optie meer.'
Benders knikte. 'Het wordt de hoogste tijd dat we Elena van Wieringen vinden', zei hij. Daarna verdeelde hij de taken. De opdracht was gericht op het in kaart brengen van eerder gehoorde getuigen. Onderzocht moest worden of er op enigerlei wijze een connectie bestond tussen hen en Elena van Wieringen.
Na afloop merkte Benders dat het werkoverleg een gematigd optimisme had teweeggebracht

Bij het verlaten van de vergaderkamer vroeg Kraaienbrink aan Benders om nog even mee naar zijn kantoor te komen.
'Ik heb je er tijdens de werkbespreking niet mee lastig willen vallen,' begon de commissaris, zodra ze binnen waren, 'maar ik ben bang dat we een klein probleem hebben.'
Benders keek hem vragend aan. 'Brand maar los. Problemen zijn er tenslotte om opgelost te worden.'
Kraaienbrink wees Benders naar de bezoekersstoel en nam zelf plaats achter zijn bureau. 'Is het waar dat jij op persoonlijke titel navraag hebt gedaan bij het NIOD?', vroeg hij .
Benders keek de commissaris aan en knikte. 'Ik besloot daartoe om nog geen ruchtbaarheid aan de zaak te geven', zei hij. 'Ik dacht.........'
'Wat je ook dacht', onderbrak Kraaienbrink hard. 'Je dacht in ieder geval verkeerd.'
'Ze hebben me dus gescreend?'
'Ja, maar dat is een normale procedure. Dat had je kunnen weten.'
Benders mompelde een vloek. 'Wat zijn de gevolgen?'
'Ik heb gemeld dat bedoelde navraag geen betrekking heeft op een lopend onderzoek, maar dat ik de betreffende persoon er op aan zal spreken.'
'Bij het NIOD hoef ik dus niet meer aan te kloppen.'
'Lijkt me niet verstandig, nee. Ik zal ze laten weten dat je hebt gehandeld uit persoonlijke belangstelling.'

'Komen we daarmee weg?'

Kraaienbrink stond op uit zijn stoel. 'Dat moeten we dan maar hopen', zei hij.

Benders kreeg het onaangename gevoel dat de ander hem een klootzak vond, maar te beleefd was om hem dat te zeggen. 'Je mag natuurlijk van me vinden wat je wilt', zei hij. 'Maar ik ben niet van plan het boetekleed aan te trekken. Tenslotte handelde ik naar eer en geweten.'

Kraaienbrink schudde lachend zijn hoofd. 'Nikka heeft niets teveel gezegd', zei hij. 'Je bent nog eigenwijzer dan ze me vertelde.'

Benders ging staan en wilde zijn mond opendoen om zijn verontwaardiging kenbaar te maken. Maar de commissaris was hem voor. 'Beschouw dat laatste maar als een compliment, Frank', zei hij grijnzend.

Benders staarde de commissaris verward aan. Daarna knikte hij en verliet het kantoor.

25

Twee weken achtereen werd er keihard gewerkt. Het was inmiddels ver in de herfst, hoewel het weerbeeld daar niet van getuigde. Het was droog en windstil. De temperaturen waren hoog. Bijna van zomerse waarde.

Benders bracht de meeste tijd door aan de telefoon en achter de computer, waarvan hij de bediening nog steeds niet helemaal meester was. Meerdere keren had hij de hulp van zijn jongere collega's in moeten roepen om hem de ontbrekende vaardigheden bij te brengen. Maar alle hulp ten spijt bleef hij een goedwillende amateur.

De hoop Elena van Wieringen snel op te kunnen sporen, bleek ijdel. Al hun gegraaf in bestanden en bevolkingsregisters leverde niets op. Het was alsof ze van de aardbodem was verdwenen. Benders besefte dat er iets niet klopte. In een klein land als Nederland was het nauwelijks mogelijk om je zestig jaar lang verborgen te houden. De mogelijkheid dat de vrouw een andere identiteit had aangenomen was even aannemelijk als verontrustend. Om er nog maar niet aan te denken dat ze zich in het buitenland had gevestigd.

Benders schopte uit nijd tegen de poot van zijn tafelbureau. De kans dat deze zaak hem door de vingers glipte, werd steeds groter. Hij zuchtte. Ineens overviel hem de impuls de zaak te laten rusten. Hij wilde weg en naar een ver land vertrekken. Hij had voor minstens zes weken aan verlofdagen staan. Nieuw-Zeeland leek hem wel wat. Door de gesprekken die hij regelmatig met zijn dochter over dit land voerde, was hij enthousiast geraakt. De overweldigende natuur en de enorme uitgestrektheid van dit werelddeel, waarover Femke had gesproken, deden hem verlangen daar naartoe af te reizen. Misschien zou hij Nikka zover kunnen krijgen om met hem mee te gaan. Het ging immers nu goed met haar dochter.

Benders keek naar de telefoon. Hij wachtte even en toetste toen haar nummer in. Ongeduldig trommelde hij met zijn vingers op het bureaublad. Na vier langgerekte tonen volgde haar voicemail. Hij legde de hoorn terug en maakte zichzelf wijs dat het zo had moeten zijn. Daarna concentreerde hij zich weer op zijn werk. Hij pakte een pen en een blocnote van zijn bureau en begon zijn gedachten op papier te ordenen. Als Elena van Wieringen een andere identiteit had aangenomen, moest ze dat hebben gedaan met het vooropgezette plan niet gevonden te willen worden. Maar waarom?

Hij ging terug naar zijn gesprek met Conny Braam. Naar de geruchten dat Elena zou zijn geliquideerd, omdat ze een verhouding zou hebben gehad met een Duitse soldaat. Maar deze liquidatie zou, getuige de enveloppe met afzender uit 1946, niet zijn uitgevoerd. Waarom niet? De enveloppe en het handschrift waren onderzocht en met een aan zekerheid grenzende waarschijnlijkheid authentiek bevonden. Conny had uit gesprekken met oud-verzetsstrijders bovendien kunnen opmaken dat er getwijfeld werd aan haar status van collaborateur.

Benders dacht na. Hij vroeg zich af of het niet zo kon zijn geweest dat een aantal mensen binnen de verzetsgroep zich sterk had gemaakt voor Elena. Dat zij haar hadden helpen ontsnappen aan de dood. In dat geval zou het heel goed te verklaren zijn dat de mensen die Conny had gesproken er het zwijgen toe deden. Uit angst voor represailles?

Benders onderstreepte deze laatste vraag. Hij besefte dat dit een aannemelijke verklaring kon zijn en vroeg zich af hoe hij erachter kon komen hoe waar dat was. De getuigen die Conny had gesproken zouden niet meer loslaten dan dat ze tegenover haar hadden verteld. "Als ik te dichtbij kwam, zwegen ze als oesters", had de schrijfster gezegd.

Benders legde zijn pen terug op het bureau en las een aantal keren terug wat hij had opgeschreven. Toen hij daarmee klaar was, kreeg hij sterk het gevoel dat zijn redenering klopte. Dat het zo kon zijn gegaan. Hij zocht onmiddellijk het telefoonnummer van Conny op.

Nadat hij haar nummer had ingetoetst nam de schrijfster vrijwel meteen op en zei hem dat ze zich juist begon af te vragen of ze ooit nog wat van hem zou horen.

Benders excuseerde zich. 'We hebben drukke weken achter de rug', zei hij.

Hij legde uit waar het rechercheteam zich de afgelopen tijd mee had beziggehouden en eindigde met haar te vertellen wat hij zojuist op papier had geschreven.

Het bleef even stil aan de andere kant van de lijn. 'Als het waar is wat jij vermoedt, vallen er veel dingen op zijn plaats', zei ze uiteindelijk.

Benders vroeg wat ze daarmee bedoelde, maar de schrijfster antwoordde hem dat ze dat door de telefoon niet wilde zeggen en stelde hem voor nog een keer bij haar langs te komen. Hij keek op zijn horloge en beloofde om twee uur bij haar te zijn.

Om tien voor twee belde hij voor de tweede keer aan bij het huis van de schrijfster. Het weer was inmiddels omgeslagen. Harde wind en regen.

Benders dacht terug aan zijn vorige bezoek en herinnerde zich dat het toen ook had geregend.

'Het lijkt er veel op dat het in IJmuiden altijd regent', zei hij, zodra Conny hem had binnengelaten.

'Dan wordt het tijd dat je mijn woonplaats eens van de zonnige kant komt bekijken', kaatste ze terug. Ze ging hem voor naar de woonkamer en bood hem een plaats aan tafel aan.

'Ik neem aan dat je koffie wilt?'

Ze had al een beker volgeschonken en zette deze die voor hem neer. Daarna ging ze in een stoel tegenover hem zitten.

'Als onderzoekster blijft het moeilijk om geruchten en feiten van elkaar te onderscheiden', begon ze aarzelend. Ze stak een sigaartje op en bleef een poosje peinzend voor zich uit staren. 'Lenie van Wieringen is een naam die ik voornamelijk in de stroom van geruchten tegenkwam', vervolgde ze toen. 'De mensen die haar daadwerkelijk hebben gekend, waren zeer terughoudend over haar. Om je eerlijk de waarheid te zeggen heb ik de kwestie Van Wieringen daarom een beetje verwaarloosd. Na jouw bezoek heb ik mijn aantekeningen er nog eens op nagekeken en stuitte daar op iets wat mij aan het denken heeft gezet.'

Benders ging rechter in zijn stoel zitten en keek haar vragend aan. 'Wat bedoel je precies?', vroeg hij ongeduldig.

Haar antwoord verraste hem. 'Drie jaar geleden werd ik opgebeld door de dochter van een vrouw met wie ik meerdere gesprekken heb gehad. Deze vrouw was een van de personen die Lenie van Wieringen heeft gekend. Het werd een bijzonder onaangenaam gesprek. De vrouw beschuldigde mij ervan dat ik vertrouwelijke informatie zou hebben doorgespeeld. Op mijn vraag hoe ze daarbij kwam vertelde ze me dat er een man had gebeld, die naar het adres van de toenmalige verzetsleider had geïnformeerd. De man zou haar nogal onder druk hebben gezet, waardoor ze van streek was geraakt. Ze sloot het gesprek af met te zeggen dat als dit verkeerd zou aflopen, ik bloed aan mijn handen zou hebben.'

Benders stuiterde van zijn stoel omhoog. 'Werd met deze verzetsleider Van Dronkenoord bedoeld?'

'Dat heeft ze niet gezegd, maar dat is natuurlijk heel goed mogelijk.'

'Heeft die vrouw ook de naam van de beller genoemd?', vroeg hij harder dan hij wilde.

Conny doofde haar sigaar en schudde haar hoofd. 'Nee', antwoordde ze. 'Waarschijnlijk was ik ook te zeer overrompeld om daarnaar te vragen.'

'Wat is de naam van die vrouw?'

'Die krijg je niet. Bovendien zou het weinig zin hebben. Ze is inmiddels zevenentachtig. Haar gezondheid is slecht. Ze woont in bij de dochter, die mij belde. De kans dat zij je toelaat om haar moeder te spreken is nul.'

Benders verbeet zijn teleurstelling. Haar dwingen de naam van de vrouw te geven zou niet fair zijn.

'Wie zou die man geweest kunnen zijn?', vroeg hij een andere ingang zoekend.

'Daar heb ik niet het flauwste vermoeden van, maar ik durf mijn handen ervoor in het vuur te steken, dat ik niet heb gelekt.'

'Drie jaar geleden zei je?'

'Zoiets, ja. Ik zat midden in het onderzoek. Om je eerlijk de waarheid te zeggen heb ik na dat telefoontje overwogen om ermee te stoppen. Bloed aan mijn handen is wel het laatste waarop ik zit te wachten.'

'Zie jij kans de vrouw nog een keer te spreken te krijgen?'

'Dat lijkt me na wat er is gebeurd niet eenvoudig, maar ik beloof je dat ik mijn best zal doen.'

Benders keek haar dankbaar aan. 'Je vertelde me door de telefoon dat er voor jou nu veel dingen op zijn plaats zijn gevallen', zei hij. 'Wat bedoelde je daar precies mee?'

'Na wat jij me verteld hebt, ben ik gaan combineren. Ik had er zelf nog niet aan gedacht, maar het klonk heel aannemelijk.'

Benders dacht onmiddellijk aan zijn eigen theorie. 'Je bedoelt dat sommige medeverzetsstrijders van Elena de liquidatie afkeurden en haar hielpen ontsnappen?'

'Precies', antwoordde Conny. 'Dat verklaart ook hun terughoudendheid. Als waar is wat ik vermoed, hebben ze een gegronde reden om hun kaken op elkaar te houden.'

Benders keek de schrijfster aan. 'Dan is ook duidelijk wat jouw getuige bedoelde met bloed aan je handen.'

Conny knikte.'Ik ben bang dat ze daar inderdaad op zinspeelde', beaamde ze.

*

Toen Benders weer buiten kwam, merkte hij dat het droog was geworden. Hij stapte in zijn auto en besloot naar het strand van IJmuiden te rijden. Zijn hoofd moest leeg. Een lange strandwandeling kon hem daarbij helpen.

Conny zwaaide hem na. Hij claxonneerde en stak zijn hand op. Ze had bij het afscheid zijn schouder vastgepakt en hem laten beloven dat hij haar op de hoogte zou houden. Benders had haar toen in een impuls naar zich toegetrokken en gezegd dat ze op hem kon rekenen.

Achteraf gezien vond hij dat een idiote belofte. Waarop zou ze mogen rekenen? Op de waarheid? Hij kon op nog geen enkele manier bedenken hoe hij daarachter moest komen. Wat er tot nog toe was bedacht, waren louter veronderstellingen. Hoe aannemelijk ook, het bleven vermoedens. Wellicht was het beter om zich er niet teveel op vast te pinnen. Hij zou op zoek kunnen gaan naar alternatieven. Maar even zo goed wist hij dat dat onzin was en hij toch weer zijn gevoel zou volgen.

Benders parkeerde zijn auto langs de weg naar het strand. Het waaide stevig. Hij had moeite het portier in bedwang te houden en moest kracht zetten om het weer te sluiten. Tevergeefs zocht hij naar munten voor de parkeermeter en besloot het erop te wagen.

Het strand was vrijwel leeg. Een enkele jogger, vergezeld door zijn hond, trotseerde de straffe westenwind. Benders genoot van het tafereel. De nog jonge hond liep meters vooruit, maar keek steeds angstvallig achterom. Alsof hij de bang was zijn baas uit het oog te verliezen. Misschien was het een idee om straks, wanneer hij met pensioen zou gaan, een hond te nemen. Maar bij de gedachte aan zijn kleine appartement verwierp hij ook dit plan weer. Benders ploegde zich door het mulle zand naar de vloedlijn. De jogger was vrijwel uit het zicht verdwenen. Hij was alleen. Ineens verlangde hij ernaar om Eline weer te zien. Hoe lang was dat alweer geleden? Twee maanden, drie maanden. Hij wist het niet meer. Na hun scheiding was het contact langzaam verwaterd. Wat hij over haar hoorde, hoorde hij van zijn dochter. Femke hielp regelmatig in de winkel. Een winkel in klein antiek, die goed scheen te lopen. Misschien moest hij haar weer eens bellen. Of langsgaan. Haar eens uitnodigen voor een etentje. Om bij te praten.

Benders liet deze gedachte voorlopig varen, maar zou haar niet vergeten. Hij versnelde zijn pas. De vrouw op de foto drong zich weer aan hem op. Hij had zo vaak het portret bekeken dat het inmiddels een vertrouwd gezicht voor hem was geworden. Alsof hij haar persoonlijk kende. Maar dat was natuurlijk onzin. Dat kon helemaal niet. Toch voelde hij het zo.

Vlak na zessen kwam Benders thuis. De lange strandwandeling had hem slaperig gemaakt. Hij besloot een halfuurtje op de bank te gaan liggen alvorens aan het eten te beginnen. Maar eerst luisterde hij zijn antwoordapparaat af. Er waren drie nieuwe berichten.

De eerste kwam van zijn dochter. Femke vroeg hem of hij zin en tijd had om 's avonds bij haar te komen eten. Ze had een nieuwe vriend, die Diederik heette. Diederik was hobbykok en had de Italiaanse keuken tot zijn specialiteit gemaakt.

Bofkont, mompelde Benders. Hij dacht aan zijn ingevroren bami en aarzelde even. Maar hij voelde zich te vermoeid. Straks zou hij haar terugbellen en vragen of hij het etentje tegoed mocht houden.

Het tweede bericht kwam van zijn zoon. Joris vroeg hem of hij interesse had in een tripje naar Monaco. Hij kon aan kaarten komen voor de komende formule 1-races. Ze konden zitten op de tribune met uitzicht op de nieuwe pitstraat, maar dan moesten ze snel beslissen.

Benders nam zich onmiddellijk voor daarmee in te stemmen. Het werd hoog tijd dat hij weer eens een Grand Prix bezocht.

Bovendien verheugde hij zich er op Joris te zien.

Het laatste bericht kwam van Nikka. Ze vroeg hem haar terug te bellen. Benders hoorde aan haar stem dat er iets mis was, alsof haar iets ergs was overkomen.

Eerst belde hij Joris terug om hem te laten weten dat hij de kaarten kon bestellen. Daarna belde hij Nikka. Hij schrok van haar boodschap. 'Mireille is ervandoor!!' Hij hoorde haar paniek en begreep dat ze daarmee bedoelde dat haar dochter weer was teruggevallen in haar oude leven. Al de opofferingen van Nikka ten spijt.

Benders zocht naar woorden om haar te troosten, maar besefte op tijd dat daar geen woorden voor bestonden. 'Hoelang is ze dan weg?', vroeg hij om toch iets te zeggen.

'Sinds gisteren. Ze verliet om kwart voor vijf mijn appartement, maar ze is niet teruggegaan naar de kliniek.'

'Heb je het aan zien komen?'

'Juist helemaal niet. Gisteren waren we nog naar het tehuis geweest waar Rob naartoe zou zijn gegaan.'

'Naartoe zou zijn gegaan?', vroeg Benders verbaasd. 'Gaat dat niet door dan?'

'Laat me nou even uitpraten!!' Ze klonk geïrriteerd.

Benders nam zich voor haar niet meer te onderbreken.

'We zijn gisteren naar dat tehuis gegaan om het af te zeggen. Mireille vond het geen geschikte plek voor haar vader. Ze vond het een naargeestige omgeving. Achteraf moest ik haar daar gelijk in geven. Zeker in vergelijking met het tehuis waar hij nu zit. We hebben daar veel woorden over gehad, maar er uiteindelijk in goed overleg voor gekozen om Rob voorlopig te laten zitten waar hij nu is. Mireille was daar heel blij om. Na het bezoek aan het tehuis zijn we naar Rotterdam gegaan. We hebben daar geluncht en zijn daarna nog wezen shoppen. Om vier uur zijn we naar mijn appartement gegaan en hebben daar nog wat gezellig nagekletst. Toen Mireille om kwart voor vijf mijn appartement verliet was ze in een opperbeste stem-

ming. Niets wees erop dat ze zou besluiten niet naar de kliniek terug te keren. Ik begrijp er werkelijk niets van, Frank.'
'Wat zeiden ze vanuit de kliniek?'
'Het verbaasde hun. Maar wereldvreemd vonden ze het ook niet. Ze zeiden dat, ondanks al hun ervaring en deskundigheid, ze soms nog steeds door hun patiënten op het verkeerde been worden gezet.'
'Met andere woorden, Mireille zou al die tijd een rol hebben gespeeld?'
'Zoiets ja, maar ik kan me dat absoluut niet voorstellen.'
Ik wel, dacht Benders. Hij wist uit de ervaring die hij had met verslaafden, hoe ze erin getraind waren de schijn naar buiten toe op te houden. Ze bleken in staat de ander te laten geloven dat er niets met ze aan de hand was. In die ontkenning, wist hij, school het grootste gevaar.
'Ik vind dit rot voor je Nikka, maar ik ben bang dat je de realiteit onder ogen moet zien.'
'Ik wil haar vinden, Frank!!'
'Dat begrijp ik. Toch moet je je afvragen of dat verstandig is.'
'Wat bedoel je?'
'Mireille is een volwassen vrouw. Ze heeft vrijwillig besloten niet terug te keren naar de kliniek. Jij kunt haar daar niet toe dwingen. Het is haar besluit.'
Benders hoorde een vloek. Daarna was de verbinding verbroken.
Hij legde zuchtend de hoorn terug op het toestel. Hij wou dat hij dat laatste niet had gezegd. Ze had zijn steun gezocht, maar hij had niets voor haar kunnen betekenen.

De volgende ochtend stond Benders in alle vroegte op. Het was een paar minuten over zeven. Hij had slecht geslapen. Zijn bezoek aan de schrijfster en het afgebroken telefoongesprek met Nikka hadden hem voortdurend beziggehouden.
Hij schoof de gordijnen open en zag hoe bewolkt het was. Volgens de weersberichten zou het die dag in het grootste gedeelte van

het land gaan regenen. Alleen in het zuiden zou het droog blijven.

Benders ontgrendelde de balkondeuren. Nauwelijks geopend hoorde hij de betonmolen draaien. Hij vloekte en vroeg zich af waarom bouwvakkers altijd zo idioot vroeg aan het werk waren. Waarom ze iedere keer met die teringherrie hun medeburgers zo vroeg moesten lastigvallen.

Verstoord sloot hij de deuren. Hij wilde graag in alle rust ontbijten. Hij wilde nadenken. Nadenken over de stappen die hij moest ondernemen om de zaak uit het dal te trekken. De hernieuwde gesprekken met de getuigen hadden niet veel meer opgeleverd dan dat bekend was. Bij geen van hen was er bij het noemen van de naam Lena van Wieringen een reactie waargenomen die een nader onderzoek rechtvaardigde. De zaak zat vast. Muurvast.

Benders had dit vaker meegemaakt. Dit waren de momenten, waarbij er een beroep werd gedaan op zijn geduld. Hij moest afwachten. Wachten op gebeurtenissen, waardoor de zaak vanuit een veranderd perspectief kon worden bekeken. Maar geduld was niet zijn sterkste kant. Integendeel. Hij kon niet wachten. Hij werd er onrustig van.

De afgelopen nacht had hij regelmatig moeten denken aan de man die drie jaar geleden de informant van de schrijfster had benaderd. Wie was die man? Het was deze vraag die voortdurend door zijn hoofd spookte. Een vraag waarop niemand het antwoord wist.

Benders begon ruimte op de keukentafel vrij te maken om zijn brood te kunnen smeren. Ondertussen bedacht hij dat hij desnoods de rechter-commissaris kon inschakelen om de informant van Conny te dwingen als getuige op te treden. Maar tegelijkertijd verwierp hij deze gedachte. Die actie zou hem niet in dank worden afgenomen. En terecht. De integriteit van de schrijfster werd hiermee in twijfel getrokken. Dat verdiende ze niet.

Zuchtend schonk hij zijn theeglas vol met kokend water. Hij

besefte dat hem weinig anders restte dan af te wachten en er het beste van te hopen.

Terwijl hij een theezakje in zijn glas liet zakken, dacht hij terug aan het telefoongesprek met Nikka. Hij zou haar terug kunnen bellen. Het was wel onredelijk van haar geweest om de verbinding zo botweg af te breken, maar begrijpen kon hij het wel. Haar teleurstelling moest enorm zijn. Ze had er alles voor opgegeven. Zelfs haar relatie met hem.

Bij de gedachte aan Nikka nam zijn wanhoop toe. Misschien was het beter om persoonlijk bij haar langs te gaan. Hij besloot het bij dit voornemen niet te laten en nam zijn besluit.

Nog dezelfde ochtend parkeerde Benders zijn auto in de parkeergarage naast het appartementencomplex waar Nikka woonde. Hij had zijn bezoek bewust niet aangekondigd en bedacht tijdens het verlaten van de garage dat zijn autorit naar Rotterdam voor niets kon zijn geweest. Maar dat was dan niet anders. Wanneer hij haar zou hebben gezegd langs te willen komen, zou de kans groot zijn geweest dat ze hem had laten weten zijn komst niet op prijs te stellen. Daarvoor kende hij Nikka te goed.

Buiten gekomen werd hij verrast door de harde regen. Hij verwenste zijn nalatigheid de paraplu thuis te hebben laten liggen en trok zijn colbert over zijn hoofd. Met snelle passen liep hij langs de gevel van de parkeergarage in de richting van Nikka's appartement. Na ongeveer vijftig meter voelde hij plotseling een arm in de zijne schuiven. Boven hem leek de regen gestopt. Verward keek hij naar de vrouw die haar paraplu met hem deelde en gearmd met hem verder liep. Het was Nikka.

Benders keek haar aan. Hij zag onmiddellijk wat het besluit van Mireille met haar had gedaan. Ze zei niets. Ze was kapot.

'Ik ben bang, Frank', begon ze, eenmaal boven in het appartement. 'Bang dat Mireille iets is overkomen.

Nikka stopte het colbert van Benders in de droger en ging daarna tegenover hem op de bank zitten. 'Ik kwam zojuist terug van de kliniek waar Mireille verbleef', vervolgde ze. 'Daar vertelden ze me dat een medebewoonster beweerde dat ze Mireille eergisteren rond vijf uur 's middags nog heeft gezien. Ze had haar bij een man in een auto zien stappen en hen vervolgens weg zien rijden.'

Benders hoorde haar wanhoop. 'Kan het niet zo zijn dat......'

'Nee, Frank!! Dat kan niet!!'

Benders schrok van haar plotselinge heftigheid. De snaar die hij raakte leek nog gevoeliger dan hij had vermoed.

'Nikka, je moet wel reëel zijn', zei hij harder dan hij wilde. 'Mireille heeft een leven achter de rug waaruit alleen de allersterksten zich kunnen ontworstelen. Ik begrijp je teleurstelling, maar sluit je ogen niet voor de realiteit. Dat helpt je niet.'

Nikka stond op van de bank en liep naar het raam dat uitzicht bood over de Maasboulevard. Benders volgde haar voorbeeld en ging op een meter afstand naast haar staan. Op de vensterbank zag hij een foto van een jonge vrouw staan. Dit moest Mireille zijn. De gelijkenis was treffend

'Heb je al aangifte gedaan van vermissing?'

Nikka bleef uit het raam staren en knikte. 'Ze zeiden hetzelfde als jij, maar ik heb ze verteld wat ik jou ook wil laten weten.'

Ze wendde haar blik van het raam en keek Benders verbeten aan. 'Mireille is niet teruggevallen in de prostitutie', zei ze beslist. 'Ze is om God mag weten wat voor reden bij een man in de auto gestapt, maar niet om de hoer te spelen. Knoop dat goed in je oren, inspecteur.'

Benders miste haar laatdunkende ondertoontje niet. Duidelijker kon ze haar teleurstelling in hem niet hard maken. Zijn missie iets voor haar te willen betekenen leek volledig de mist in te gaan.

Benders keek naar buiten. Het regende nog steeds. De boulevard was leeg. Hij zocht naar woorden om de ontstane spanning te breken, maar Nikka had zijn lot al in haar handen genomen door naar de droger te lopen, zijn colbert eruit te halen en hem die toe te gooien.

'Ik heb liever dat je weer gaat, Frank', zei ze zacht, maar beslist.

Tweeëneenhalf uur later stapte Benders het politiebureau binnen. Onderweg had het aan één stuk door geregend, maar nu was de lucht aan het breken en waren het alleen nog de enorme plassen die aan de overvloedige regen herinnerden.

Benders' humeur was naar het absolute nulpunt gedaald. Hij ging rechtstreeks naar zijn kamer en negeerde de blikken van zijn komende en gaande collega's. Eenmaal binnen zette hij koffie en liep daarna naar de archiefkast om het inmiddels uitgebreide dossier van Van Dronkenoord eruit te nemen. Ervaring had hem geleerd dat hij, juist in deze stemming, in staat was om bergen werk te verzetten. Bovendien leidde werk af en bood het hem de mogelijkheid om de vrouw te vergeten van wie hij lang had gedacht bij te horen. Nu hij zeker wist dat het hem niet meer zou lukken zich ooit nog met Nikka te verzoenen, besefte hij dat hij zich sterk moest maken om haar voorgoed zijn hoofd uit te krijgen.

Dat lukt je niet, jongen, dacht hij wanhopig, en direct daarna: het móét me lukken!

Hij smeet de dossiermappen op zijn bureau en schonk zichzelf koffie in. Daarna stortte hij zich als een bezetene op de uitgebreide verslagen. Tijdens het lezen ergerde hij zich aan de onbeholpen verhoren van sommige rechercheurs, die weliswaar nauwkeurige, maar volslagen fantasieloze vragen hadden gesteld. Zijn credo was dat een verhoor of ander gesprek verrassende wendingen moest bevatten. Voorspelbare vragen leidden automatisch tot voorspelbare antwoorden. Hij zou de mannen en vrouwen die dit broddelwerk hadden afgeleverd daar binnenkort op aanspreken.

Het verslag dat Paula en Tjeerd hadden gemaakt van het verhoor dat zij bij Van Engelsen hadden afgenomen, vormde daarop een gunstige uitzondering. De vragen waren vaak doortastend en het duo was erin geslaagd om Van Engelsen tot een verrassende uitspraak te laten komen.

In een van de gestelde vragen confronteerde Kootstra hem met zijn nazidenkbeelden, waarbij Van Engelsen opmerkte dat een snotjongen als hij daar geen weet van kon hebben. Kootstra speelde daar handig op in door Van Engelsen gelijk te geven en hem vervolgens te vragen of hij hem uit kon leggen wat die denkbeelden dan precies inhielden. Van Engelsen ging hier gretig op in. Nadat hij zijn uitleg had gegeven, zei Kootstra dat hij het weliswaar een interessant college vond, maar dat hij graag van zijn toilet gebruik wilde maken om even te kotsen. Van Engelsen ontstak daarop in woede en schreeuwde Kootstra toe hem op de zwarte lijst te zullen plaatsen. Achteraf bleek het een loze uitspraak te zijn geweest. Na een herhaald onderzoek naar de handel en wandel van Van Engelsen werd snel duidelijk dat de man een roepende in de woestijn bleek.

In het volgende verhoor dat Tjeerd en Paula met een getuige, genaamd Westerlaken, hadden gehad, viel Benders iets merkwaardigs op. Westerlaken was een van de bezitters van de volkstuinen. Zijn tuin grensde aan de tuin van een man die Harlaar heette. Benders herinnerde zich dat hij met deze Harlaar had gesproken. De man had zich toen nogal misprijzend uitgelaten over zijn buurman.

Uit wat hij nu las, kon hij opmaken dat Westerlaken zich daarentegen lovend over Harlaar uitliet. Westerlaken vertelde door zijn drukke werkzaamheden nauwelijks aan de tuin toe te komen, maar prijsde zich gelukkig met een buurman als Harlaar. Volgens zijn zeggen zou die het afgelopen halfjaar de zorg voor zijn tuin hebben overgenomen.

Benders krabde zichzelf achter zijn oren. Hij begreep niet dat hij hier eerder overheen had gelezen. Hij probeerde zich de man, met wie hij toen had gesproken, weer voor de geest te halen, maar het lukte hem niet een scherp beeld van hem te krijgen. Hij pakte een arceerstift en begon de gewraakte alinea te arceren. Daarna worstelde hij zich nog twee uur lang door de verslagen heen om na afloop vast te stellen dat er verder geen feiten naar voren waren gekomen die een nader onderzoek rechtvaardigden. Hij borg de dossiers weer op en keek op zijn horloge. Het was half drie en hij had nog niet geluncht. Hij besloot iets in de stad te gaan eten en daarna het volkstuinencomplex te bezoeken. Zijn humeur bevond zich nog steeds op het nulpunt.

John speelde met haar ring. Hij dacht aan de toekomst. Ieder uur van de dag miste hij haar. Hij voelde zich geamputeerd, alsof met haar dood ook iets in hem was gestorven. Hij zou iemand willen hebben om mee te kunnen praten. Iemand, die Elena had gekend. In de persoonlijke bescheiden van zijn moeder had hij een brief gevonden. Een brief waarin stond dat haar overlijden moest worden doorgegeven aan een vrouw, Krista Selinger geheten. Aan deze vrouw zou zijn moeder veel te danken hebben gehad.

Haar naam was hij meerdere keren in het dagboek tegengekomen. Drie jaar eerder had hij haar gebeld en gevraagd om het adres van de beul die de geliefde van zijn moeder had vermoord. Maar ze wist het antwoord niet, of wilde hem dat niet geven.

Krista had Elena gekend. Met haar wilde hij praten.

Hij liet de ring los en pakte de brief weer uit de binnenzak van zijn colbert. Hij las hem voor de zoveelste keer. De boodschap was duidelijk: *Wilt u na mijn overlijden mevrouw Krista Selinger hiervan op de hoogte brengen.* Daaronder stond het correspondentieadres. Om het belang van de boodschap te benadrukken stond op de enveloppe in hoofdletters *ZEER BELANGRIJK!!* geschreven. Hij stopte de brief weer in de enveloppe en borg hem op.

Over de boodschap erin moest hij nadenken. De brief zou hij persoonlijk kunnen overhandigen. Hij kon dan kennismaken met de vrouw, die zijn moeder had gekend. Hij zou haar kunnen bedanken voor alles wat ze voor Elena had gedaan. Haar vertellen wat dat voor hem betekende. Daarna zou hij haar kunnen vragen of ze genegen was met hem over zijn moeder te praten. Over vroeger. Hoe ze was als meisje, als jonge vrouw. Maar hij besefte ook dat dat alles niet zonder risico was. Het was niet ondenkbaar dat de politie in haar naspeuringen deze Krista ook op het spoor was gekomen. Hij kon het niet riskeren dat de vrouw de politie over zijn bestaan ging vertellen. Hoe klein dat risico ook was. Uiteindelijk besloot hij om Krista vanuit een openbare telefooncel op te bellen. De vrouw reageerde geschokt. Alsof ze een dierbare was verloren.

27

Benders parkeerde zijn auto bij het volkstuinencomplex. Het was vijf weken geleden dat hij hier voor het laatst was geweest. Er leek niets veranderd, of het moesten de kleuren van het gebladerte aan de bomen zijn. Het groen had plaatsgemaakt voor tinten die hoorden bij de herfst, terwijl meerdere bladeren zich intussen al hadden laten vallen.

Benders sloeg het portier van zijn auto dicht en liep het drassig geworden zandpad op dat hem leidde naar de tuinen. Zoals verwacht was het er uitgestorven. Het idee om na zijn pensionering een volkstuin te huren leek ineens een bizar voornemen. De overvloedige regen van de afgelopen tijd had het complex de aanblik van een moerasgebied bezorgd. Benders gruwde bij de gedachte onder deze omstandigheden een tuin te moeten bewerken.

Maar blijkbaar waren er toch mensen die daar anders over dachten. Tot zijn verbazing zag hij Harlaar uit zijn tuinhuis komen. Gehuld in overall en laarzen sloot hij de toegang tot zijn onderkomen af en baande zich een weg door de zompige kleigrond. Benders deed een stap terug en maakte zich klein achter een struik. Hij zag hoe de man na een aantal passen achterom keek en na enig aarzelen weer terugliep naar het huisje. Daar voelde hij een aantal keren aan de deur, alsof hij er niet zeker van was dat hij die had afgesloten. Evenals vijf weken eerder vroeg Benders zich af wat Harlaar in deze tijd van het jaar en onder deze omstandigheden op zijn tuin had te zoeken. Het begon er alle schijn van te krijgen dat de man deze plek tot zijn tweede thuis had gemaakt.

Benders deed nog een paar stappen achteruit om de man straks ongemerkt te kunnen laten passeren, maar zag even later tot zijn verrassing dat Harlaar in tegenovergestelde richting het complex verliet. Na ongeveer twintig meter sloeg hij linksaf en verdween uit beeld.

Benders kwam uit het struikgewas vandaan. Hij had natte voeten gekregen en ook de onderkant van zijn pijpen waren doorweekt. Vloekend liep hij naar het stuk grond van Harlaar. Bij het houten tuinhuis probeerde hij door het kleine raam naar binnen te kijken, maar kon in de donkere ruimte slechts raden wat er binnen was. Wat hij zag waren de contouren van wat een werkbank zou kunnen zijn. Achter, hangend tegen een schot, hingen vermoedelijk verschillende tuinwerkgereedschappen. De ruimte leek dieper dan hij had vermoed, maar door een gedeeltelijk geplaatst tussenschot bleef de ruimte daarachter vrijwel onzichtbaar.

Benders wendde zich van het raam en liep om het tuinhuis heen. Het huisje leek van recente datum, of moest door Harlaar uitstekend zijn onderhouden. De robuuste rabatdelen zaten goed in de verf en de hoekverbindingen weken geen millimeter. De volkstuinder hield van kwaliteit, stelde Benders vast.

Hij verliet de tuin van Harlaar met het voornemen de man binnenkort weer eens aan de tand te voelen. Hij was er benieuwd naar waarom hij van mening verschilde met zijn buurman. Om het terrein te verlaten besloot hij dezelfde weg als Harlaar te nemen. Hij wilde weten welke ontsluiting, anders dan via de parkeerplaats, nog meer mogelijk was.

Op het punt waar hij Harlaar linksaf had zien slaan, bleef hij staan. Al snel werd hem duidelijk dat de man via een sluiproute langs een smalle sloot op een ventweg was terechtgekomen. Het was dezelfde ventweg als waar Ilse de verkeersweg had moeten oversteken om het fietspad te bereiken. Deze weg liep hier dood. Het einde werd gemarkeerd door een roodwit hek, waarachter zich een weiland, omzoomd door een brede sloot bevond. Hoewel de logica voor het kiezen van deze weg Benders ontging, verweet hij zich toch dat hij deze mogelijkheid zelf over het hoofd had gezien.

Benders keerde terug naar zijn auto. Hij kreeg het onbehagelijke gevoel dat hij het rechercheren had verleerd. Er was hem iets ontgaan. Iets dat hij niet had gezien, maar wel had moeten zien.

*

Die nacht had Benders een droom. Hij was op het strand van IJmuiden. Het was hartje zomer. Hij liep met Nikka door het hete zand. Ze liepen gearmd. Op het strand was het erg druk en Nikka had zich stevig aan hem vastgeklampt, alsof ze angst had hem in de menigte te verliezen. Ze praatte honderduit.

Nadat hij wakker was geworden, kon hij zich niet meer herinneren waarover ze had gesproken. Wat hij nog wel wist, was dat hij haar plotseling had opgepakt en met haar de zee was ingelopen. Nikka krijste van spanning en plezier. Overmoedig liep hij door, totdat de golven aan zijn middel reikten. Ineens liet hij haar uit zijn armen vallen. Nikka verdween onder water en tegelijkertijd rolde er een golf over haar heen. Toen hij zich wilde bukken om haar weer op te pakken was ze verdwenen, opgeslokt door de zee.

Op dit punt was hij met een schok wakker geworden. Pas na tientallen seconden drong het tot hem door dat hij uit een droom was ontwaakt. Daarna kon hij niet meer slapen. Hij ging zijn bed uit en schonk zichzelf een borrel in.

De droom bracht hem terug naar zijn bezoek aan Nikka. Misschien had hij te weinig aandacht gehad voor haar intuïtie, bedacht hij. Hij had wellicht te nuchter en te zakelijk tegen de zaak aangekeken. Mireille was tenslotte haar dochter. Nikka was bovendien niet het type vrouw dat zich gemakkelijk liet meeslepen door haar emoties. Als ze had gevoeld dat Mireille weer zou zijn teruggevallen, zou ze daar eerlijk en open over zijn geweest.

Nijdig nam hij een slok. De cognac brandde in zijn keel. Hij wist nu zeker dat hij een beoordelingsfout had gemaakt en maakte zichzelf uit voor rund. Er was maar één manier om zijn blunder te herstellen, besefte hij. Hij moest, hoe dan ook, Mireille zien te vinden.

Dezelfde ochtend, even na negenen, kwam het onderzoeksteam in de vergaderruimte bijeen.

Benders opende het overleg met te zeggen dat hij slecht te spreken was over de vorderingen in het onderzoek naar de moordenaar of moordenaars op Van Dronkenoord en zijn kleindochter.

'Het heeft er alle schijn van dat de weg, die we in ons onderzoek zijn ingeslagen, doodlopend is', zei hij. 'Hoewel mijn geloof in de richting waarin we zochten nog steeds aanwezig is, denk ik toch dat we onze ogen niet mogen sluiten voor mogelijke alternatieven.'

Benders keek de kring rond. Hij wachtte even om ruimte voor commentaar te geven, maar niemand zei iets.

Ineens viel het hem op dat er iemand ontbrak. 'Waar is Kootstra?', vroeg hij.

'Hij was er wel, maar is weer weggegaan', antwoordde Paula. 'Er is vannacht een vrouw aangereden op de provinciale weg. Kennelijk is daar iets mis mee. Hij dacht dat hij wel weer gauw terug zou zijn.'

Benders keek naar de commissaris. 'Het wordt tijd dat er eens serieus over het personeelstekort wordt nagedacht', zei hij feller dan hij wilde. 'We kunnen die discussie niet steeds maar uitstellen.'

Kraaienbrink maakte een machteloos gebaar met zijn armen. 'Er is geen sprake van een discussie', zei hij. 'Iedereen is het met je eens dat we een tekort aan mankracht hebben, maar er zijn doodgewoon geen politiemensen meer te krijgen.'

'Dan wordt het tijd dat ze ons eens beter gaan betalen', sneerde Paula. Er volgde een instemmend gemompel, waarop Benders zich genoodzaakt zag het gezelschap tot de orde te roepen.

'Dit soort discussies kunnen we beter aan de vakbond overlaten', zei hij. 'Laten wij ons weer beperken tot datgene waarvoor we zijn ingehuurd.'

Het duurde even tot de gemoederen tot bedaren waren gebracht. Benders besefte dat deze reactie een gevolg was van de frustraties die ontstaan bij een slepend onderzoek als dit. Hij vergeleek zijn team wel eens met een voetbalelftal, dat wedstrijden lang niet tot scoren kwam. Als coach had hij de taak het zelfvertrouwen in de ploeg te herstellen.

'Er is hard gewerkt', zei hij. 'Onze ellende is alleen dat hard werken niet altijd tot resultaat leidt .'

Op dat moment werd hij onderbroken door de binnenkomst van Kootstra. Benders zag onmiddellijk dat de Friese politieman van zijn stuk was.

Kootstra ging zitten en richtte het woord tot de groep. 'Er is vannacht een vrouw aangereden op de provinciale weg', begon hij. 'Ze is zojuist aan haar verwondingen bezweken.'

Er volgde een korte stilte.

'Is er iets bekend over de toedracht?', verbrak Benders het zwijgen.

Kootstra knikte. 'Een dronken automobilist', antwoordde hij. 'Een man van twintig jaar.

Hij schepte haar op een door verkeerslichten beveiligde oversteekplaats.'

Er werd gevloekt.

'Is het slachtoffer al geïdentificeerd?', vroeg Kraajenbrink.

Kootstra antwoordde dat dat niet het geval was. 'Ze droeg geen papieren bij zich,' verklaarde hij, 'maar vermoedelijk gaat het om een jonge vrouw van rond de vijfentwintig jaar.'

'Waren er getuigen?'

Kootstra knikte. 'Een ouder echtpaar heeft het zien gebeuren', antwoordde hij. 'Volgens hun verklaring reed de man veel te hard.'

'Er is dus niet bekend wie de vrouw is?', vroeg Benders ten overvloede.

'Nee, dat zei ik al. Ze droeg geen papieren bij zich. Maar ver-moedelijk kwam ze hier niet uit de omgeving.'

'Hoe weet je dat!!?' De vraag van Benders kwam er snau-wend uit, alsof hij plotseling enorm kwaad op Kootstra was. De Friese rechercheur keek Benders verontwaardigd aan en antwoordde dat ze een treinkaartje bij zich droeg met bestem-ming Zaandam.

Benders knikte gelaten. 'Oké', zei hij. 'Laten we verdergaan.' De vergadering werd voortgezet. Op het einde werd besloten het team tot nader order te halveren. Andere lopende zaken waren al zo lang verwaarloosd dat het niet langer verantwoord was deze langer te laten liggen.

Benders verliet met een ontstemd gevoel de vergaderruimte. Hij was er niet in geslaagd het vertrouwen in de zaak terug te laten winnen. De gelaten stemming, waarmee het overleg was geëindigd, duidde eerder op het tegendeel. Hij voelde zich een slechte coach.

Terug in zijn kamer vermande hij zich. Hij nam plaats achter zijn bureau en wilde juist het telefoonnummer van Nikka intoet-sen toen er op zijn deur werd geklopt. Nog voordat hij rea-geerde stak Kraaienbrink zijn hoofd om de deur.

'Kom ik gelegen?'

'Eigenlijk niet,' antwoordde Benders, 'maar kom verder.'

'Wat is er met jou aan de hand, Benders?', viel de commissa-ris met de deur in huis.

Benders voelde dat hij kleurde. 'Hoezo?', vroeg hij quasi-non-chalant.

'Kom op, Frank. Je wilt toch niet beweren dat je je normaal gedroeg tegenover Kootstra. Je ondervroeg hem verdomme of je hem persoonlijk verantwoordelijk achtte voor die aanrijding.'

'Ik dacht dat dat wel meeviel.'

Kraaienbrink ging zitten en keek Benders vorsend aan. 'Klets niet, Frank. Volgens mij weet je zelf ook donders goed dat je je als een idioot gedroeg.'

Benders capituleerde. Hij besefte dat hij tegenover Kraaienbrink niet langer stommetje kon spelen en biechtte op dat de vermissing van Nikka's dochter hem dwarszat.

'Toen Tjeerd vertelde dat het vermoedelijk om een vrouw van rond de vijfentwintig ging, kreeg ik het even benauwd', bekende hij. 'Ik was bang dat het om Mireille ging.'

Kraaienbrink knikte. 'Dan is dat uitgelegd', zei hij. 'Weet je of Nikka aangifte heeft gedaan van de vermissing?'

'Ja, maar je weet zelf hoe dat gaat. Er zijn nog honderd wachtenden voor u en de kans dat ze daar de zaak lichtvaardig beoordelen in verband met Mireilles verleden is natuurlijk groot.'

'Ik bel straks mijn collega uit Rotterdam om te polsen hoe het zit met die zaak', beloofde Kraaienbrink. 'Is er nog meer dat je dwarszit?'

Benders schudde zijn hoofd. 'Ik zou alleen willen dat je me straks vertelt hoe de zaak er in Rotterdam voorstaat.'

'Zodat jij je met de zaak kunt bemoeien?'

'Ik kan het tegenover Nikka niet verkopen aan de kant te blijven staan', bekende hij. 'Ik moet Mireille vinden.'

Kraaienbrink zuchtte. 'Ik kan me jouw gevoelens voorstellen', zei hij. 'Toch verbied ik je je met de zaak te bemoeien. Jij hebt hier je handen vol aan en bovendien zijn je collega's in Rotterdam mans genoeg om deze zaak zelf naar behoren te onderzoeken.'

Benders knikte. Hij begreep het. Hij zou zijn eigen plan moeten trekken.

Zodra de commissaris was opgestapt, belde hij Nikka. Na vier tonen volgde haar voicemail Benders sprak een boodschap in met de vraag of zij hem terug wilde bellen en verbrak de verbinding. Gedreven door onrust stond hij op. Na een aantal keren zijn kamer op en neer te hebben gelopen, begaf hij zich naar de telefoon. Voor de tweede keer pakte hij de hoorn van het toestel en toetste nu het nummer van Conny Braam in.

De schrijfster nam onmiddellijk op. 'Dit heeft erg veel weg van telepathie', hoorde hij haar meteen zeggen.

Benders staarde verward naar de grond.

'Of geloof jij niet in die onzin?', liet ze er lachend op volgen.
'Eerlijk gezegd niet', antwoordde Benders ongemakkelijk.
'Ik zou je juist bellen. Ik heb belangrijk nieuws.'
Benders voelde hoe zijn ademhaling zich versnelde. 'Bedoel je.......'
'Ja. Ze wil praten. Haar dochter belde me zojuist op. Haar moeder had gezegd dat het er nu niet meer toe deed. Dat ze nu wel wil praten.'
'Wat bedoelt ze daarmee?'
'Dat heb ik haar ook gevraagd, maar ze antwoordde mij dat dat niet zo gemakkelijk was uit te leggen. Je moet maar snel hierheen komen.'
Benders besloot zijn lunch over te slaan en spoedde zich na het telefoontje direct naar buiten.

Anderhalf uur later zat hij tegenover een vrouw die er anders uitzag dan hij zich had voorgesteld. Het hardnekkige beeld van oude vrouwen in bloemetjesjurken en grijs gepermanent haar bleek op Krista niet van toepassing. Krista was zevenentachtig en droeg een witte coltrui op een spijkerrok. Ze had halflang, rood geverfd haar en vroeg Benders niet zo hard te praten. Hij moest niet denken dat ze doof of hardhorend was. Benders knikte en forceerde een glimlach. Iets in haar ogen maakte dat hij zich ongemakkelijk voelde. Het was alsof ze recht in zijn hoofd keek.
Hij had haar dochter moeten beloven om niet langer dan een halfuur te blijven. Bovendien mocht hij niet vertellen dat hij haar bezocht in verband met een moordonderzoek. "Mijn moeder is minder stoer dan ze wil laten voorkomen", had ze gezegd. "Ik weet dat ze na dit gesprek een week lang van slag zal zijn."

Door de beslistheid waarmee de dochter had gesproken, had Benders zich voorgenomen deze wens te respecteren. Hij had Krista verteld haar te bezoeken in verband met de Velser affaire.

Ze zaten in een ruimte die het best viel te omschrijven als een eetkeuken, maar die met een beetje fantasie ook als een klein restaurant gekwalificeerd kon worden. De smaakvol ingerichte ruimte was voorzien van hightech keukenapparatuur en aan de wanden hingen posters van Oosterse gerechten, die Benders het water in de mond deden lopen. Het speet hem dat hij zijn lunch had overgeslagen.

'Mevrouw Braam heeft me kunnen overtuigen van het belang van uw komst', begon Krista 'Ze heeft me verzekerd dat u te vertrouwen bent. Ik verwacht van u dat u haar aanbeveling niet beschaamd.'

Benders begreep door haar houding dat Krista een vrouw was die het initiatief naar zich toe trok en besefte dat hij zich sterk moest maken om dit van haar over te nemen. 'Ik ben me terdege bewust van mijn positie', zei hij nadrukkelijk. 'U kunt er dan ook verzekerd van zijn dat wat hier wordt besproken tussen ons zal blijven.'

Krista leek overtuigd en knikte. 'Steekt u dan maar van wal', zei ze

'We zijn op zoek naar ene Elena van Wieringen', begon Benders. 'Ik zou graag van u weten of u haar hebt gekend en zo ja of zij nog in leven is.'

'Dan zal ik beginnen met het tweede gedeelte van uw vraag', zei Krista. 'Als Elena nog in leven zou zijn, had u hier niet gezeten.'

Benders keek de vrouw vragend aan. 'U bedoelt te zeggen dat ze niet meer leeft?'

'Heel scherp van u, inspecteur', antwoordde Krista niet zonder ironie. 'Elena is kort geleden overleden.'

Benders slikte zijn teleurstelling weg en vroeg wat ze hem verder over Elena kon vertellen. 'Wij zijn al enige tijd op zoek naar haar,' verklaarde hij. 'maar konden haar niet vinden.'

'Dat betekent dat ze hun werk goed hebben gedaan. Het was ook de bedoeling dat niemand haar vond.'

Benders verbeet zich. Hij werd ongeduldig en dacht aan de beperkte tijd die hem was opgelegd. Als hij zich niet bewust was van haar kwetsbaarheid, zou hij haar harder aanpakken. 'Mag ik u vragen waarom Elena niet mocht worden gevonden?'

Krista knikte. 'Daarvoor zit u hier tenslotte', antwoordde ze. 'Ik zal het u proberen uit te leggen.' Ze stond op en herschikte een rugkussen in haar stoel. Daarna nam ze weer plaats en begon haar verhaal: 'Elena sloot zich als laatste aan bij onze verzetsgroep. We kenden haar. We wisten dat ze te vertrouwen was. Haar vader, Cor van Wieringen, was een halfjaar daarvoor door de bezetters omgebracht. Hij werd betrapt tijdens een sabotage. Hij wilde een bunker opblazen. Het werk dat Elena deed, bestond hoofdzakelijk uit koeriersdiensten. Elena had alles mee. Een razend knap smoeltje en een lach waar het hardste metaal spontaan van begon te smelten. Misschien was dat laatste haar wel noodlottig geworden.'

Krista zuchtte. Benders zag dat het herbeleven van die tijd haar moeite kostte en begreep de zorg van haar dochter.

'Elena werd smoorverliefd op een mof', vervolgde ze. 'Ernst heette hij. Ernst Dittrich.Op een dag biechtte ze zelf haar verhouding met deze Duitse soldaat op. Ze vertelde ons toen ook dat onze leider, Tom van Dronkenoord, een dubbelrol speelde. Dittrich zou haar hebben verteld dat Van Dronkenoord samenwerkte met de Duitsers. Wij wisten al langer van het bestaan van deze geruchten, maar twijfelden aan de juistheid daarvan. Het was in die tijd niet ongebruikelijk geruchten te verspreiden om tweespalt binnen het verzet te verkrijgen. Wij hadden Dittrich al langer op het oog. De meerderheid geloofde Elena niet en wilde een crisisberaad. Van Dronkenoord eiste het hoofd van Dittrich, maar de meesten van onze groep vonden dat ook Elena moest worden geliquideerd. Ze zagen haar als een verraadster en een bedreiging voor de groep.'

'Maar dat is dus niet gebeurd?'

Krista schudde haar hoofd en stond op om een glas water te halen. Benders zag het zweet op haar voorhoofd staan.

'De meerderheid besliste,' vervolgde Krista, zodra ze weer had plaatsgenomen, 'maar een aantal mensen, onder wie Van Dronkenoord en ik, was tegen. Ik kende Elena te goed om te weten dat zij geen bedreiging vormde. Haar relatie met Dittrich was oprecht. Dat Van Dronkenoord haar leven wilde sparen had een andere reden. Elena was zijn verloofde. Zij zouden gaan trouwen. Een ieder ander zou hij onder dezelfde omstandigheden hebben vermoord.'

Benders begon langzaam te knikken. De strekking van het verhaal begon hem duidelijk te worden. Een *crime passionel* in bezettingstijd, met verstrekkende gevolgen.

'Elena werd dus gespaard, maar haar minnaar vermoord door Van Dronkenoord?'

Krista beaamde dat. 'Ja', zei ze. 'Nadat tot liquidatie was besloten, stelde Van Dronkenoord voor om dat zelf te doen. Hij wees twee mannen aan als zijn medebeulen. Ons werd naderhand verteld dat de terechtstelling was uitgevoerd en beide lichamen in het Noordzeekanaal waren gedumpt. Maar ik vermoedde dat het anders moest zijn gegaan.'

Benders keek Krista vragend aan. Ongeduldig zag hij toe hoe ze haar glas water leegdronk en de tijd nam om haar verhaal te vervolgen.

'Na de oorlog trouwde ik met Freek van Kralingen', vertelde Krista ten slotte verder. 'Hij was een van de mannen die bij de liquidatie aanwezig was. Van hem hoorde ik de ware toedracht. Dittrich was inderdaad vermoord. Van Dronkenoord had hem neergeschoten en zijn lichaam in het Noordzeekanaal gedumpt. Maar Elena's leven had hij gespaard. Ze heeft hem dat echter nooit in dank afgenomen en hem zelfs per brief laten weten dat het haar liever zou zijn geweest als zijzelf ook was gedood.'

Benders dacht onmiddellijk aan de bewuste enveloppe en voel-

de een schok. 'Weet u ook waar Elena toen naartoe is gegaan?'
Krista schudde haar hoofd. 'Er is een onderduikadres en een
vals persoonsbewijs voor haar geregeld.'
'Ze heette dus niet langer Elena van Wieringen?'
'Nee', antwoordde Krista. 'Maar vraagt u mij niet onder welke
naam zij is verdergegaan. Uit veiligheidsoverwegingen werd
dat aan ons niet bekendgemaakt.'
Benders wierp een blik naar de keukendeur. De dochter van
Krista stond in de deuropening en stak vijf vingers omhoog.
Benders knikte.
'U zei dat Elena is overleden', ging hij gehaast verder. 'Hoe
weet u dat?'
'Omdat ik onlangs werd gebeld door een man die zich aan mij
voorstelde als haar zoon', antwoordde Krista. 'Hij vertelde me
dat zijn moeder was gestorven.'
Benders was volledig overdonderd. 'Haar zoon?', vroeg hij
verbaasd.
Krista knikte. 'De zoon van Elena. Hij vertelde mij dat hij in
de persoonlijke bescheiden van zijn moeder een verzoek had
gevonden, waarin ze vroeg haar overlijden aan mij bekend te
maken.'
'Weet u een naam? Ik bedoel: heeft hij zich aan u voorgesteld?'
'Daar heb ik natuurlijk naar gevraagd, maar hij liet me weten
dat dat er niet toe deed.'

De dochter van Krista stapte de keuken in. Ze keek Benders
aan en wees nadrukkelijk op haar horloge. 'Ik wil dat u gaat',
zei ze gebiedend.
Benders stond op uit zijn stoel. Hij gaf Krista een hand en
bedankte haar voor het gesprek.
Ze glimlachte. 'Ik hoop dat u er wat mee kunt', zei ze.
Benders antwoordde naar waarheid dat dit zeker het geval was.
Hij wist nu dat hij de jacht kon openen.

*

Twee uur later riep Benders het onderzoeksteam bijeen. De mensen die protesteerden omdat hun dienst erop zat, gaf hij te verstaan dat politiemannen met een van-negen-tot- vijfmentaliteit wat hem betrof elders mochten solliciteren. Daarna bleef het nog enige tijd rumoerig en werd hij een ogenblik overvallen door de angst dat er een opstand zou volgen. Maar die bleef uit. Vervolgens gaf hij een uiteenzetting over wat hij in IJmuiden had vernomen. De meesten luisterden aandachtig, maar tot zijn ergernis zag hij ook een paar rechercheurs verveeld voor zich uitkijken.

'We zijn op dus zoek naar een man van twee- of drieënzestig jaar', rondde hij af. 'De man is circa drie jaar geleden begonnen met naspeuringen te doen naar Tom van Dronkenoord. Ons onderzoek moet er op zijn gericht dat deze man, al dan niet onder valse voorwendsels, in het dorp Westerhout navraag heeft gedaan naar Van Dronkenoord. Maar ik sluit ook niet uit dat hij al eerder, buiten de dorpsgrenzen, informatie heeft weten te verkrijgen over de verblijfplaats van Van Dronkenoord. In dat geval zou hij zich al enige tijd in Westerhout hebben kunnen ophouden, zonder contact met de plaatselijke bevolking te zoeken.'

'Heb je geen signalement?', vroeg Teulings.

Benders antwoordde de technisch rechercheur dat hij dat helaas niet had, maar dat hij er op hoopte dat een vreemdeling in een gehucht als Westerhout snel van een signalement werd voorzien.

'We zoeken dus eigenlijk naar een schim?'

Deze vraag kwam van rechercheur Peters. Peters was een van de protesterende politiemannen. Benders kon aan de toon in zijn vraag horen dat hij de bijeenkomst nog steeds onzinnig vond. Hij voelde een grote ergernis opkomen en gaf zijn collega te verstaan dat bij een jacht op schimmen een beroep werd gedaan op de talenten van een rechercheur. Peters' blik stond op onweer, maar hij deed er verder het zwijgen toe.

Daarna stak Kootstra zijn hand op. Benders maakte met een knik duidelijk dat hij zijn gang kon gaan.

'Ik denk dat het duidelijk is', zei hij zacht. 'Van Engelsen, drieënzestig jaar.'

Het werd doodstil.

'Waarom denk je dat hij het is?

'Zijn leeftijd klopt. Hij heeft de juiste achtergrond en beant-woordt aan de status van vreemdeling in het dorp Westerhout.'

Benders dacht snel na. 'Dat is allemaal waar', beaamde hij. 'Maar Van Engelsen beschikt over een slechte conditie. Hij is alcoholist. Zijn handen trillen. Onze man moet, gezien zijn achtervolging op het jonge meisje, beschikken over een uit-stekende conditie en getuige zijn trefzekere schoten over een vaste hand.'

'Kan het niettemin de moeite lonen om Van Engelsen nog-maals aan een uitgebreid verhoor te onderwerpen?', vroeg Paula.

Benders schudde zijn hoofd. 'Van Engelsen is niet onze man', zei hij beslist. 'Dat is hoe ik erover denk.'

Er volgde een instemmend gemompel. Hij zag verschillende rechercheurs gapen en besefte dat hij ze murw had geluld. De klok boven de deur wees kwart voor acht aan en hij besloot de bijeenkomst te beëindigen.

'De komende weken wil ik niets horen over extra verlofda-gen', zei hij. 'Er zal hard moeten worden gewerkt. Misschien zelfs overgewerkt. Ik weet dat dat zwaar is, maar daar is niets aan te doen.'

Niemand protesteerde.

Toen Benders die avond thuiskwam, zette hij eerst de oven aan. Er lagen nog twee pizza's in de diepvriezer. Hij twijfel-de of dat genoeg zou zijn om zijn honger te stillen. Voor zijn gevoel zou hij met gemak een heel paard op kunnen eten.

Hij zette de kookwekker op tien minuten en besloot de tijd die hij moest wachten te gebruiken om de krant door te bladeren. De voorpagina stond vrijwel geheel in het teken van de vervroegde verkiezingen. In het besef dat de tien minuten niet toereikend waren om alles te lezen, bladerde hij snel door. Op de pagina buitenlands nieuws viel zijn oog op een artikel over een Franse politieman. De man had bekend moedwillig met zijn paard op een student te zijn ingereden.

Benders herinnerde zich nog dat hij daar eerder iets over op de televisie had gezien. De aanslag had plaatsgevonden tijdens studentenrellen naar aanleiding van het nieuwe ontslagbeleid van de Franse regering. De krant meldde nu dat er sprake was van een *crime passionel*. De politieman had verklaard een waas voor zijn ogen te hebben gekregen bij het zien van zijn ex-geliefde met haar nieuwe vriend.

Benders moest onmiddellijk denken aan het verhaal dat Krista hem had verteld. Tom van Dronkenoord had zijn rivaal ook uit jaloezie gedood. Hij had zijn daad gelegaliseerd door het een verzetsdaad te noemen, maar in zijn geval gold dat niet als een aanvaardbaar motief. Het was natuurlijk pure moord. Niet alle verzetshelden waren helden had Nikka hem een tijd geleden al eens laten weten. Benders besefte nu hoe waar dat kon zijn. De als verzetsheld geridderde Van Dronkenoord bleek waarschijnlijk niet anders te zijn dan een ordinaire moordenaar. Een man die zijn positie had misbruikt om zijn rivaal uit de weg te ruimen.

Benders sloeg de krant dicht. Hij zette de eerste pizza in de oven en schonk zichzelf een glas wijn in. Intussen dacht hij aan de man die zij zochten. Hoewel hij het vinden van de man naderbij voelde komen, besefte hij ook dat de zoektocht hem nog veel hoofdbrekens zou gaan kosten. Er was geen naam. Geen signalement. Alleen een vermoedelijke leeftijd. Toch voelde hij zijn aanwezigheid.

Benders pakte een blocnote uit de keukenlade en begon een

aantal namen van de mannen op te schrijven die hij in verband met het onderzoek had ontmoet. Hij kwam op een totaal van vier. Achter iedere naam schreef hij een aantal aantekeningen. Alle vier behoorden ze gezien hun leeftijd tot de mogelijkheden. Daarna schrapte hij twee namen en tuurde een tijdje naar zijn aantekeningen. Nog juist voordat de kookwekker begon te rinkelen, omcirkelde hij de eerste naam. Toen legde hij zijn blocnote weg.

Terwijl hij de pizza uit de oven haalde en de tweede erin schoof, nam hij zich voor dat hij de man, van wie hij zijn naam had omcirkeld, de volgende dag zou opzoeken. Hoewel hij nog lang niet zeker van zijn zaak was, voelde het als een begin.

Tijdens het eten veranderde het beeld van de man die hij zich voor de geest probeerde te halen, voortdurend. Alsof deze meerdere gezichten had. Ineens realiseerde hij zich hoe waar dat kon zijn. Het was mogelijk dat degene die hij zocht zijn ware gezicht nog niet had getoond. Dat hij de man wel eerder had ontmoet, maar dat die zich anders had voorgedaan dan dat hij in werkelijkheid was.

*

Die nacht kon Benders moeilijk in slaap komen. Meerdere gedachten maalden door zijn hoofd, waarin Nikka de boventoon voerde. Hij had al die tijd niets meer van haar gehoord. Het verontrustte hem dat ze niet had gereageerd op zijn verzoek hem terug te bellen. Blijkbaar had hij het voorgoed bij haar verbruid.

Met groeiend onbehagen dacht hij eraan dat hij dat allemaal aan zichzelf had te danken. Hij moest haar duidelijk zien te maken dat het hem speet. Dat hij zich had vergist. Maar zou hij daar ooit nog de kans toe krijgen? Misschien kon hij voor een tweede keer naar Rotterdam vertrekken. Haar face-to-face uitleggen waarom hij haar eerst niet geloofde en nu wel.

Uiteindelijk besloot hij haar een brief te schrijven. Hij stapte zijn bed uit, pakte pen en papier en zette zich vol goede moed aan de keukentafel, maar telkens schudde hij zijn hoofd en verfrommelde hij het geschrevene weer tot een prop. Na drie kwartier tevergeefs te hebben geprobeerd zijn gedachten op papier te verwoorden, staakte hij deze strijd. Hij kon het niet. Het was beter te vergeten. Hij zou zich weer moeten concentreren op de zaak waaraan hij bezig was. Tenslotte was hij nog steeds politieman.

Bij het verlaten van de keuken zag hij het plakboek liggen. Hij twijfelde even, maar liep toch terug. Voor de zoveelste keer begon hij door het boek te bladeren. Minutenlang staarde hij naar de vrouw op de foto en vroeg zich nog steeds tevergeefs af waar hij dat gezicht eerder had gezien. Hoewel hij besefte dat dat vrijwel onmogelijk was, raakte hij het gevoel niet kwijt de vrouw ooit eerder te hebben gezien.

Benders sloeg het boek dicht. Hij begon aan zichzelf te twijfelen, terwijl hij het toch zeker wist.

28

Na veel twijfels besloot John de vrouw die zijn moeder moest hebben gekend op te zoeken. Hij kon niet anders. Het verlangen met haar over Elena te praten was te sterk geworden.

Eenmaal op weg maakte hij zich een voorstelling van het gesprek. Wat ze hem over zijn moeder zou kunnen vertellen, dat hij nog niet wist.

Maar hij besefte ook dat het gesprek voor hem op een teleurstelling uit kon lopen. De vrouw zou ook kunnen weigeren om met hem over Elena te praten. Toch waagde hij het er op.

Hij parkeerde zijn auto in een zijstraat die uitmondde op de Bloemstraat. De straat waar Krista woonde. Hij stapte uit. Het was nog vroeg in de middag. Het waaide hard, maar het was tenminste droog. De straat stond vol geparkeerde auto's. Het was een smalle straat.

Op de hoek wachtte hij even. Hij dacht aan wat hij ging zeggen als straks de deur voor hem zou worden geopend. Hij had zich voorgenomen niet langer dan uiterlijk tien minuten te blijven. Om vertrouwenwekkend over te komen moest hij proberen rustig en beheerst te spreken.

Zodra hij de hoek om was sloeg de wind hem recht in het gezicht. Hij wachtte even met oversteken tot een vrouw op een fiets hem passeerde. De vrouw had moeite tegen de harde wind op te boksen. In het voorbijgaan knikte ze hem toe. Hij glimlachte naar haar en stak de weg over. Tot zijn ergernis merkte hij dat zijn hart sneller begon te kloppen. De zenuwen begonnen hem parten te spelen.

Eenmaal aan de overkant stopte hij even om zijn ademhaling weer onder controle te krijgen. Daarna liep hij langzaam door. Maar twee stappen verder bleef hij als aan de grond genageld staan. Een man stond bij de voordeur van het huis waar Krista woonde. John herkende hem onmiddellijk aan zijn kale hoofd en het forse postuur. Het klamme zweet brak hem aan alle kanten uit. Hij keek nogmaals. Er was geen twijfel mogelijk. Hij was het. De hoofdinspecteur van politie. De man die het onderzoek leidde en Benders heette.

John ademde zwaar. Hij keek de inspecteur op zijn rug en zag hem aanbellen. Snel dook hij achter een geparkeerde auto. Even later zag hij hem door de deuropening verdwijnen. Geschokt liep hij terug. De wind blies in zijn rug. Alsof hij werd gemaand om haast te maken. Eenmaal op weg terug drong tot hem door waaraan hij was ontsnapt. Hoeveel geluk hij had gehad.

29

Toen Benders wakker werd, nam hij zich als eerste voor om een bezoek aan Harlaar te brengen. Hij wilde er nog steeds achter zien te komen hoe het kwam dat de hobbytuinder zo geliefd was bij zijn buurman, terwijl Harlaar zich juist zo negatief over de man had uitgelaten.

Terwijl hij wachtte tot de thee was getrokken, belde Benders het bureau om te vragen of Tjeerd Kootstra al op het bureau was gearriveerd.

Na twee minuten kreeg hij hem aan de telefoon. Op de achtergrond hoorde Benders het geluid van iemand die op een toetsenbord tikt. Het moet niet gekker worden, dacht hij bezorgd. Kootstra telefoneerde en werkte tegelijk op zijn computer. Hij bewonderde de werklust van de Friese rechercheur, maar soms bekroop hem ook het gevoel dat hij hem moest afremmen.

'Ik wil dat je wacht op mijn komst', zei hij luid. 'Paula heeft vandaag haar vrije dag. Vandaag ga je met mij op pad.'

'Waar gaan we dan naar toe?'

'We gaan een bezoek brengen aan Harlaar en Langendijk.'

'Bedoel je Langendijk de manegebeheerder?'

'Ja, en stop met dat getik.'

'Ik ben al klaar. Had je al een afspraak met de heren gemaakt?'

'Nee. Dat doen we ook niet. Ik overval ze liever.'

Het bleef even stil aan de andere kant van de lijn.

'Maar als ze er niet zijn, verspillen we kostbare tijd', protesteerde de Fries.

'Dat risico lopen we dan maar.'

Na wat afkeurend gemompel verbrak Kootstra de verbinding. Benders begreep het protest van zijn jonge collega wel. Het viel ook niet te rijmen met het verzoek tot eventueel overwerk, maar hij kon niet anders. Aangekondigde bezoeken gaven getuigen de tijd om zich voor te bereiden en na te denken hoe ze de politie konden misleiden. Die tijd gunde Benders ze niet.

Harlaar woonde in een kleine, vrijstaande dijkwoning vlak aan het IJsselmeer. Evenals zijn volkstuin maakten ook hier het huis en de tuin een verzorgde indruk. Harlaar was een man die zijn bezit koesterde, concludeerde Benders.

Hij maakte het tuinhek open en liep door een slingerend grindpad naar de voordeur. Het verontrustte hem dat de gordijnen aan de voorzijde nog waren gesloten. De tuinder leek hem geen man die tot half tien in zijn bed bleef liggen.

Benders drukte op de bel en keek in het verwijtende gezicht van Kootstra.

'Ik denk niet dat hij thuis is', zei de Friese rechercheur.

Benders negeerde zijn opmerking en drukte voor de tweede keer op de bel. Even later hoorde hij aan de andere kant van de deur gestommel. Benders knikte naar zijn jonge collega die met moeite een glimlach forceerde.

Harlaar keek Benders aan alsof hij een geest was. 'Wat komen jullie in godsnaam zo vroeg hier doen?'

Benders zag zijn oprechte verbazing en vroeg de man hen binnen te laten. 'We willen even met u praten', verklaarde hij. 'Het hoeft niet lang te duren.'

Na een korte aarzeling deed Harlaar de deur wijder open en maakte met een handgebaar duidelijk, dat ze binnen konden komen..

Via een korte, donkere gang stapten ze de woonkamer binnen. De tuinder mompelde iets dat op een excuus leek en schoof de gordijnen open. Benders zag voor het erkerraam de ontbijtresten op tafel staan en begreep waarover Harlaar zich verontschuldigde.

Terwijl de tuinder de tafel afruimde, keek Benders door het erkerraam naar buiten. Hij zag nog juist een koppel meeuwen achter de dijk verdwijnen. Verderop ontdekte hij de top van een mast, die ongetwijfeld aan een zeilboot toebehoorde.

'Het is hier mooi', zei hij tegen Kootstra. 'Dit is een stukje West-Friesland dat ik nog niet kende.'

De Fries knikte en kwam naast Benders staan. 'Je kunt me

geloven of niet,' zei hij, 'maar Ayse vertelde me laatst dat ze niet zeker meer weet of ze nog wil verhuizen, omdat ze zich begint te hechten aan West-Friesland.'

Benders wilde antwoorden dat er niets zo veranderlijk is als een mens, maar volstond met een knik omdat Harlaar de kamer weer kwam inlopen.

'Ik neem aan dat jullie hier zijn in verband met het onderzoek', zei hij, terwijl hij met zijn hand gebaarde dat ze konden gaan zitten.

Benders knikte en nam plaats aan tafel. 'Dat klopt, ja', antwoordde hij. 'Er is ons een aantal dingen nog niet duidelijk.'

'Zoals?'

Benders keek Harlaar onderzoekend aan. Bij binnenkomst had hij zich afgevraagd of de man hier alleen zou wonen, maar nu hij de twee ringen om zijn vinger zag, begreep hij dat de tuinder wel eens weduwnaar kon zijn. De man leek jonger dan dat hij zich herinnerde. Hij vroeg zich af hoe dat kwam, maar vond geen antwoord op die vraag.

'Ik heb uw buurman gesproken', begon Benders. 'Dan bedoel ik natuurlijk uw buurman van de volkstuin', verduidelijkte hij.

'Je bedoelt Westerlaken?'

Benders knikte. 'Ik moet zeggen dat de heer Westerlaken zich bijzonder positief over u uitliet. Wat ik me ervan herinner, was dat andersom niet bepaald het geval.'

'Dat raadt je de koekoek', zei Harlaar verontwaardigd. 'Als ik niet steeds het onkruid uit zijn tuin trek, zou het er nu een chaos zijn.'

Zo simpel was het dus, bedacht Benders nu.

'Hoelang woont u hier, meneer Harlaar?', vroeg hij snel verder.

'Al mee dan dertig jaar. Hoezo?'

'Noem het maar belangstelling.'

Benders zag zijn argwaan en begreep dat hij die zelf had veroorzaakt.

'Ik kan me voorstellen dat mijn vragen u wat ongebruikelijk voorkomen,' haastte hij zich te zeggen, 'maar geeft u me gewoon maar antwoord.'

Harlaar knikte. Ineens zag Benders waarom hij er waarschijnlijk jonger uitzag dan in zijn herinnering. Hij droeg, anders dan op de volkstuin, geen baseballpet. Zijn nog volle haardos maakte hem jeugdiger.

Op de vensterbank zag Benders een foto, waarvan hij vermoedde dat het de ouders van Harlaar waren, hoewel hij geen enkele gelijkenis kon ontdekken. Hij boog zich naar voren om de foto beter te kunnen bekijken.

'Zijn dat uw ouders?'

Harlaar schudde zijn hoofd. 'Dat zijn mijn schoonouders', antwoordde hij.

'Leven uw beide ouders nog?'

'Ja, zeg. Wat zijn dit voor vragen?'

'Gewoon antwoord, meneer Harlaar.'

'Mijn vader stierf vijftien jaar geleden', antwoordde hij onwillig. 'Mijn moeder verloor ik twee jaar geleden.'

'De naam Elena van Wieringen, zegt u dat wat?'

De man keek Benders bevreemd aan en schudde zijn hoofd. 'Die naam zegt me niets. In welk verband zou ik….'

'Laat u maar', onderbrak Benders. 'Ik wil alleen dat u mij nog antwoord geeft op de vraag waarom u uw auto op de ventweg en niet op de daarvoor bestemde parkeerplaats bij het tuinencomplex parkeert.'

Harlaar keek betrapt, alsof hij dacht dat de inspecteur hem van een verkeersovertreding beschuldigde. 'Omdat ik er voor pas om iedere keer die vogelpoep op mijn auto te krijgen', antwoordde hij.

Benders onderdrukte een glimlach en stond op uit zijn stoel. Harlaar had volstrekt logische antwoorden op zijn vragen gegeven. Hij was hier klaar.

'Ik begrijp jouw vragen niet', zei Kootstra, terwijl ze de dijk afreden.

Benders keek in zijn spiegel en maakte een haakse bocht naar rechts. 'Wat begreep je dan niet?', vroeg hij.

'De vraag of zijn ouders nog leefden en zo. Waar slaat dat op?'

'We zoeken een zoon, die onlangs zijn moeder is verloren', verklaarde Benders. 'Weet je nog?'

Kootstra kleurde. 'Denk je dan werkelijk dat….?'

'Ik sluit inderdaad niet uit dat onze dader al eens bij ons is langsgeweest', zei hij. 'Maar zeker weten doe ik dat natuurlijk niet.'

Benders zag hoe zijn jongere collega in gepeins verzonk. 'Waar denk je aan?', vroeg hij.

'Aan Van Engelsen', antwoordde Kootstra. 'Ik snap nog steeds niet waarom je deze man niet als een mogelijke verdachte ziet, maar wel je energie steekt in een onschuldige hobbytuinder.'

Benders dacht na over wat Kootstra zei. Hij kon de logica van de Friese rechercheur wel volgen, maar geen afdoende verklaring vinden.

'Paula en ik hebben Van Engelsen verhoord', vervolgde Kootstra. 'We vonden het op zijn zachtst gezegd een verachtelijke man.'

'Wat bedoel je met verachtelijk?'

'Zijn kijk op de samenleving. Hij vertelde ons er een voorstander van te zijn de doodstraf weer in te voeren. Volgens hem gaat dit land naar de knoppen door het softe beleid van onze regering.'

Benders knikte. 'Ik heb het verslag van het verhoor gelezen', zei hij. 'Het was een goed verhoor. Ik vond het magistraal hoe je hem uit zijn tent hebt weten te lokken met je vraag over zijn nazipraktijken.'

Kootstra keek zijn chef verbaasd aan. 'Ik deed dat niet met de vooropgezette bedoeling hem uit zijn tent te lokken', zei hij. 'Ik wist werkelijk niets van nazi's.'

Nu was het de beurt aan Benders om verbaasd te zijn. 'Jij wist niets over het nazisme?', vroeg hij ongelovig.

'Niet meer dan dat zij een leer verkondigen die nogal wat weerstand oproept, maar wat nou exact hun denkbeelden zijn, wist ik niet'

Benders begreep dat Kootstra de waarheid sprak. 'Dus jij moest werkelijk kotsen, nadat Van Engelsen had uitgelegd wat het nazisme inhield?'

Kootstra schudde zijn hoofd. 'Niet letterlijk', zei hij. 'Mijn plotselinge behoefte om naar het toilet te gaan had alles te maken met mijn woede. Ik was die vent het liefst naar zijn strot gevlogen.'

Benders keek zijn collega vragend aan. De woede van toen tekende zich zichtbaar af op Kootstra's gezicht.

'De voorouders van mijn vriendin waren zigeuners', legde hij uit. 'Als Hitler zijn zin had gekregen zou Ayse er nooit zijn geweest.'

Benders haalde zijn voet van het gaspedaal en gaf richting aan om de weg op te draaien die hen naar de manege leidde. Hij was geschrokken van de wrok die in de stem van zijn Friese collega had doorgeklonken en vertelde hem over zíjn bezoek aan Van Engelsen.

'Van Engelsen is in mijn ogen een zielige oude man', begon hij. 'Hij vertelde mij dat zijn vader overtuigd nationaal-socialist was. Hij heulde met de vijand en is voor de ogen van zijn vrouw doodgeschoten door het verzet. Van Engelsen is opgevoed door een met haat verteerde moeder. Het nazisme is hem met de paplepel ingegoten.'

'Maar er komt toch een dag dat je zelf na kunt denken?'

Benders knikte. 'Dat kan, ja', beaamde hij. 'Maar bij van Engelsen heeft dat zo niet gewerkt.. Hij is blijven geloven in wat zijn moeder hem leerde.'

Ze reden langs de boerderijwoning van voorheen de familie Van Dronkenoord. Benders kon zich nauwelijks voorstellen, dat het nog maar twee maanden geleden was dat hij voor het eerst werd geconfronteerd met de afschuwelijke moord op Ilse. Voor zijn gevoel was hij al jaren bezig met de zoektocht naar

haar moordenaar. Alsof er nooit een andere zaak was geweest.
'Heb jij commissaris Landman nog gesproken?'
De vraag van Kootstra kwam totaal onverwacht. Benders schudde zijn hoofd. Hij vroeg zich af of hij moest vertellen wat er tussen hem en Nikka was voorgevallen, maar besloot daarover te zwijgen.
'Ik heb al een tijd niets meer van haar gehoord', zei hij. 'Maar ik denk dat het wel goed met haar gaat.'
'Goed met haar gaat?'
Benders hoorde de verbazing van zijn collega en keek Kootstra verontrust aan.
'Wist je dan nog niet dat........?'
'Dat wat?', snauwde Benders.
'Sorry', excuseerde Kootstra zich. 'Ik had verwacht dat je het al wist. Ze hebben Mireille gisteravond gevonden. Dood.'
Benders voelde zich misselijk worden. Hij minderde vaart en reed de berm in.
'Hoe in godsnaam weet jij dit?'
'Martijn van Zwol, een oud-studiegenoot van me, belde me gisteravond. Hij was betrokken bij de zoektocht. Hij vertelde me dat het slachtoffer Mireille Landman heette en een dochter was van de commissaris die bij ons heeft gewerkt.'
Benders zette de motor af. 'Waar is Mireille aan gestorven?'
'Een overdosis. Volgens Martijn was het zelfmoord.'
Benders vloekte hartgrondig. 'Nikka was ervan overtuigd dat Mireille het zou redden', zei hij tegen Kootstra.
De Fries schudde zijn hoofd. 'Mireille was een bekende voor de politie. Ze gebruikte ook tijdens haar opname. Martijn noemde haar een hopeloos geval. Hij was niet verrast door deze afloop.'
Benders zweeg. Hij zou willen dit keer het gelijk niet aan zijn kant te hebben en dacht aan Nikka. Aan haar vaste overtuiging dat haar dochter niet zou terugvallen. Nu was ze dood. Gestorven aan die verdomde drugs.

Voor de tweede keer moest hij een punt toekennen aan Van Engelsen. "Wat is er gedaan met die zwaar bevochten vrijheid? Jonge mensen worden de vernieling in geholpen door de drugsmaffia." Van Engelsen had daaraan toegevoegd dat zijn *Führer* het nooit zover zou hebben laten komen.

Benders wond zich weer op over deze uitspraak. Zijn denken raakte verstrikt in een vat vol tegenstrijdigheden. Toch bleef hij ervan overtuigd dat voor vrijheid geen prijs te hoog was.

'Kende jij Mireille?', onderbrak Kootstra zijn gedachten.

Benders antwoordde dat hij de dochter van Nikka weliswaar niet persoonlijk kende, maar dat daarom zijn woede en verdriet er niet minder om waren.

Kootstra knikte. 'Dat begrijp ik', zei hij. 'Iedere drugsdode is er één teveel, maar volgens mij treur je om meer dan de dood van Mireille alleen.'

Benders keek Kootstra verrast aan. De scherpte van de Fries was hem al eerder opgevallen, maar nu toonde Kootstra een inzicht die hem versteld deed staan. Hij vertelde zijn jonge collega waarmee hij worstelde en was hem dankbaar voor zijn luisterend oor.

'Zal ik alleen naar Langendijk gaan,' opperde Kootstra, 'zodat jij naar Nikka kunt?'

Benders dacht na over dit voorstel, maar schudde toen zijn hoofd. 'Ik waardeer dit natuurlijk in je,' zei hij naar waarheid, 'maar ik denk dat het verstandiger is Nikka nog even met rust te laten.'

Hij startte de auto, keek in zijn spiegel en vervolgde zijn weg richting manege. Meteen voelde hij spijt over zijn beslissing.

*

Op de manege was het een en al bedrijvigheid. Twee paarden, vastgemaakt aan een lange, platte lijn, draafden met hun amazones in cirkels door het mulle zand. De stemmen van de instructeurs galmden door de enorme hal. Benders kon zich nauwelijks verstaanbaar maken toen hij aan een van hen wilde vragen waar hij Langendijk kon vinden.

De man onderbrak voor een moment zijn instructies en keek Benders geërgerd aan. Die zag zich genoodzaakt zijn politiepas tevoorschijn te halen en zijn vraag te herhalen.

De instructeur toonde onmiddellijk begrip. Hij wees Benders naar een kantoor achter in de hal en keek tegelijkertijd op zijn horloge. 'Ik denk niet dat hij er al is,' zei hij, 'meestal komt hij hier rond een uur of twee.'

Benders knikte en bedankte de man. Hij wenkte Kootstra met hem mee te komen en liep naar het gebouwtje achter in de hal. Het was even voor half twee. Zoals de instructeur al had voorspeld was het kantoor nog leeg. Benders besloot te wachten. Hij ging zitten op een houten bank voor het kantoorgebouwtje en knoopte zijn jas los.

Kootstra volgde zijn voorbeeld. 'Ik heb eens nagedacht', begon hij toen tegen Benders.

Benders ging achterover zitten en keek zijn collega vragend aan. 'Nagedacht waarover?', vroeg hij nieuwsgierig.

'Over de vrouw op de foto', zei Kootstra onzeker. 'Misschien vind jij het wel helemaal niets, maar ik kwam erop toen ik laatst een televisieprogramma zag waarin ze lieten zien hoe een vrouw van achttien er over veertig jaar uit zou zien. Met een fotosimulatie via de computer kunnen ze zo'n verandering vrij nauwkeurig voorspellen. Ik had gedacht dat we misschien hetzelfde kunnen laten doen aan de hand van de foto van Elena.We zouden dan een beeld kunnen krijgen van de vrouw naar wie we op zoek zijn.'

'En die dus onlangs is overleden', zei Benders sceptisch.

Kootstra knikte. 'Dat doet niets af aan het feit dat we nog steeds willen weten wie de vrouw geweest is. Waar ze gewoond heeft. Hoe ze heette.'

Benders dacht na. Hij begreep waar de Fries naartoe wilde.

Het laten verspreiden van een foto van Elena, zoals ze eruit kon hebben gezien in de jaren vlak voor haar dood. Het was een mogelijkheid. Hoe klein hij de kans ook achtte. Er zouden talloze reacties komen van mensen die meenden de vrouw op de foto te herkennen. Honderden manuren zouden verloren gaan aan het natrekken van al deze tips. Maar het was een mogelijkheid. De gouden tip zou ertussen kunnen zitten. Bovendien wilde hij Kootstra belonen voor dit initiatief. Hij gunde hem dit.

'Ik vind het een goed plan', zei hij. 'Regel het maar.'

Kootstra knikte dankbaar en maakte daarna Benders attent op een man die hun richting op kwam lopen.

'Is dat Langendijk?', vroeg hij zacht.

Benders draaide zijn hoofd om en stond onmiddellijk op. Het was inderdaad de manegebeheerder.

Langendijk keek verbaasd toen hij Benders ontdekte. 'Wat doet u hier in godsnaam?', vroeg hij. 'Ik wist niet dat wij een afspraak hadden.'

Benders schudde zijn hoofd. 'Hadden we ook niet', zei hij. 'We zijn ook niet van plan u lang op te houden. We hebben alleen nog een aantal vragen.'

Langendijk keek van Kootstra naar Benders. Er verscheen een glimlach. Een vermoeide glimlach, vond Benders. Tevoorschijn getoverd om zijn onwil te verbergen?

'Komt u dan maar verder', zei hij.

Benders en Kootstra volgden de manegebeheerder naar zijn kantoor en namen plaats op de stoelen die Langendijk hen aanwees. Het vertrek was leeg en koud. De manegebeheerder draaide de thermostaat van de verwarming hoger. Toen nam hij plaats tegenover de politiemannen.

Benders vond dat Langendijk er onverzorgd uitzag. Hij was ongeschoren en Benders verbeeldde zich dat de manegehouder zich in dagen niet had gewassen.

'Misschien een vreemde vraag, meneer Langendijk,' viel Benders met de deur in huis, 'maar leven uw ouders nog?'

'Mijn ouders?'

Benders knikte en negeerde de verbaasde blik van de mane-gehouder.

'Mijn moeder stierf bij mijn geboorte', antwoordde hij. 'Mijn vader hertrouwde vier jaar later. Hij stierf twee jaar geleden.'

'U bent dus grootgebracht bij uw stiefmoeder?'

'Dat klopt. Maar zij is niet het argustype van de stiefmoeder. Ik heb een fijne jeugd gehad.'

'Uw stiefmoeder leeft nog?'

Langendijk knikte. 'Mijn stiefmoeder is tweeënnegentig. Ik bezoek haar nog regelmatig.'

De manegebeheerder twijfelde geen moment bij het beant-woorden van de vragen die Benders stelde. Alsof de man op zijn vragen was voorbereid. Maar dat leek ondenkbaar.

'Uw stiefmoeder woont ook hier?', vroeg Benders verder.

Langendijk schudde zijn hoofd. 'Mijn moeder woont in Vlaar-dingen', antwoordde hij. 'Maar mag ik van u weten waar deze belachelijke vragen toe dienen? Ilse is dood. Ze is vermoord, en u komt mij lastigvallen met de idiote vraag waar mijn moe-der woont. Alsof dat er wat toe doet.'

Benders schrok van de plotselinge heftigheid waarmee Lan-gendijk sprak. Ineens herinnerde hij zich de geruchten over de vermeende verhouding die de manegehouder zou hebben gehad met het vermoorde meisje. Hij had de man daar nooit mee geconfronteerd. Waarom niet? Omdat hij niet geloofde in dat motief? Omdat hij zich teveel had blindgestaard op Elena? Benders schudde deze gedachten van zich af. Hij keek Langendijk onder-zoekend aan. 'Ik kan me uw verbazing wel voorstellen', zei hij. 'U had natuurlijk verwacht dat ik zou vragen of u een ver-houding met Ilse hebt gehad. Of niet soms?'

Langendijk reageerde niet. Hij bleef Benders stoïcijns aankij-ken, alsof hij niet van plan was de vraag van de inspecteur serieus te nemen.

'Ik zou graag een antwoord willen', hield Benders vol.

'Het lijkt wel of u niet goed bij uw hoofd bent', beet Langendijk hem toe. 'Ilse was verdomme zeventien jaar. Ze had mijn kleindochter kunnen zijn.'

Benders besefte hoe waar dat was, maar hij had gekkere dingen meegemaakt. 'Alles goed en wel,' zei hij, 'maar kunt u mij dan vertellen waar die geruchten vandaan komen?'

Langendijk keek Benders geërgerd aan. 'Roddel en achterklap', snauwde hij. 'Ik begrijp niet dat de politie zich daarmee inlaat. Maar goed, ik zal het proberen uit te leggen: Ilse was een buitengewoon talent. Ze onderscheidde zich in alles van haar clubgenoten. Ik mocht haar en ik bewonderde haar. Niet alleen om haar talent, maar ook om haar sterke persoonlijkheid. Toegegeven, ik stak die adoratie niet onder stoelen of banken. Haar clubgenoten zullen dat ongetwijfeld hebben gemerkt en daar hun eigen verhaal van hebben gemaakt. Ilse en ik konden goed met elkaar opschieten, maar geloof me, van een liefdesrelatie is nooit sprake geweest.'

Benders knikte. Hij besefte dat de manegebeheerder de waarheid kon spreken. 'Goed,' zei hij, 'dan wil ik alleen nog van u weten of de naam Elena van Wieringen u iets zegt. En denkt u alstublieft goed na, voordat u antwoord geeft.'

Langendijk keek Benders geïrriteerd aan. 'Daar hoef ik niet over na te denken', zei hij. 'Die naam zegt me niets.' Er vertrok geen spier op zijn gezicht.

Benders stond op en wenkte Kootstra hetzelfde te doen.

Bij het verlaten van de manege merkte hij dat het begon te motregenen. Hij trok de kraag van zijn jas omhoog en liep in een draf naar zijn auto. Eenmaal binnen belde hij Nikka. Hij wachtte even, maar er kwam geen antwoord. Ineens kreeg hij het gevoel, dat hij op alle fronten was verslagen.

Het was even voor acht uur in de avond. Benders lag languit op de bank. Hij was in slaap gevallen. Het duurde even voordat het geluid van de snerpende telefoon tot hem doordrong. Eenmaal bij zijn positieven was hij te laat om hem op te nemen. Het geluid was verstomd.

Benders stond op en liep slaapdronken naar het toestel. Waar hij hoopte op Nikka's nummer, las hij voor hem onbekende cijfers. Hij bestudeerde ze zorgvuldig en overtuigde zichzelf dit nummer nooit eerder te hebben gezien.

Hij mompelde een vloek en keek op zijn horloge. Hij was nog op tijd voor het acht uurjournaal. Buiten regende het. De harde westenwind joeg de druppels met kracht tegen de ruiten. Hij pakte de afstandsbediening en drukte het televisietoestel aan. Tegelijkertijd ging voor de tweede keer de telefoon. Hij zette het geluid van de televisie zachter en pakte de hoorn van het toestel. Dit keer was het wel Nikka. Hij haalde diep adem en zei verrast te zijn haar stem te horen.

'Je had me gebeld?'

Ze klonk zakelijk. Alsof ze uit beleefdheid terugbelde, maar het kort wenste te houden.

'Ik hoorde wat er is gebeurd. Ik vind dit verschrikkelijk voor je.'

Het bleef stil. Benders zocht naar woorden om een vervolg te geven aan de twee nietszeggende zinnen. Maar als gewoonlijk vond hij ze niet.

'Ik hoop dat Mireille nu de rust gevonden heeft die ze zocht', redde Nikka hem. 'Ik kom zojuist terug van het mortuarium. Ze draagt een witte jurk, wat mooi contrasteert met haar donkere haar.'

'Jouw haar'

'Ze leek op mij. Wij hadden één gezicht'

Benders slikte wat weg. 'Ik wil morgen bij je langskomen', zei hij. 'Vind je dat goed?'

'Doe nog maar even niet, Frank. Ik heb er behoefte aan met rust te worden gelaten. Maar ik zal het op prijs stellen wanneer je bij de crematie aanwezig kunt zijn.'
'Dat beloof ik. Wanneer....?'
'Je krijgt een kaart. Ik zie je dan.'
Nikka verbrak de verbinding. Benders staarde naar de televisie. Even later ging voor de tweede keer de telefoon. Dit keer was het Kootstra.
'Het is klaar', zei hij. 'Als je tijd hebt, kun je het komen bekijken.'
Benders drukte de televisie uit en vroeg de Friese rechercheur wat hij in godsnaam bedoelde.
'De fotosimulatie', antwoordde Kootstra. 'We hebben er nu een beeld van hoe Elena eruit zou hebben kunnen gezien.'
Benders wist niet wat hij hoorde. De ijver van Kootstra begon buitensporige vormen aan te nemen. 'Kan dat niet tot morgen wachten?', vroeg hij.
'Wat jij wilt.'
Benders hoorde zijn teleurstelling. 'Ik ben er over een halfuur', zei hij. 'Zet alvast maar koffie.'

'Het blijft natuurlijk een indicatie', zei Kootstra. 'Maar volgens de maker van dit programma mogen we ervan uitgaan dat dit beeld in grote lijnen moet overeenkomen met het gezicht van Elena rond tachtigjarige leeftijd.'
Benders dronk van zijn koffie en staarde naar de monitor. Wat hij zag was inderdaad een oude vrouw van rond de tachtig. Het viel hem op dat de gelaatstrekken overeenkwamen met de trekken die op de oorspronkelijke foto te zien waren. De lijnen waren scherper en de ogen lagen dieper, maar als deze simulatie getrouw was aan de werkelijkheid, zouden de mensen die Elena goed hebben gekend, haar op de simulatie moeten herkennen.
'Kun je hier een afdruk van maken?'
Kootstra knikte en drukte de printer in. 'De kwaliteit kan beter,'

zei hij, 'maar ik beschik niet over het juiste papier.'

Benders trok de A4 uit de printer en bekeek de afdruk met toe-geknepen ogen. 'Ik zou zweren dat ik deze vrouw eerder heb gezien', zei hij tegen Kootstra. 'Al is dat natuurlijk praktisch ondenkbaar.'

'Ik zou niet weten waarom dat ondenkbaar is', reageerde Kootstra nuchter. 'Deze vrouw is nog maar kort geleden gestorven.'

Benders schudde zijn hoofd. In zoveel toeval geloofde hij niet. 'Ik vind het knap dat je dit zo snel voor elkaar hebt gekregen. Hoe heb je dat gedaan?'

Kootstra bloosde. 'Ik moet bekennen dat ik niet op een lega-le manier aan dit programma ben gekomen', zei hij. 'Ik wil de bron dan ook liever niet verklappen.'

Benders grijnsde en stak de afdruk in vieren gevouwen in zijn zak. 'Ik heet Haas', zei hij. 'Van mij horen ze niets.'

Ze spraken af de verspreiding zo spoedig mogelijk te laten plaatsvinden, waarna Benders het bureau verliet. Het was half tien geworden en het regende niet meer.

31

Drie dagen later startte Benders 's morgens tegen half negen zijn auto. Hij zette de radio aan voor het nieuws en begon te rijden. Buiten woei een zuidwesterstorm. Het zou een zware dag worden. De crematie van Mireille zou hartverscheurend zijn. Op de kaart, die hij gisteren had ontvangen, had Nikka een tekst onder een foto van Mireille laten drukken die even begrijpelijk als verontrustend klonk:

Dag allerliefste Mireille
Met jou stierf alle hoop
Wat zal ik je missen.

Nikka

Na het lezen had Benders onmiddellijk zijn dochter gebeld. Tot zijn verrassing bood Femke aan met hem mee te gaan naar de crematie. Blijkbaar voelde ze aan dat haar vader opzag tegen deze dag. Hij had het aanbod met beide handen aangenomen en afgesproken om haar om negen uur op te halen.
Ze had hem gezegd erom te denken dat hij zich netjes moest kleden. In ieder geval wilde ze dat hij een stropdas zou dragen. Benders had die avond zijn garderobe erop nagekeken en was tot de conclusie gekomen dat hij bedroevend weinig passende kleding in de kast had hangen. Uiteindelijk had hij voor een donkerblauw kostuum gekozen, dat weliswaar wat aan de krappe kant was, maar dat hij als enige geschikt vond.
Om tien voor negen belde hij aan bij het huis van zijn dochter. Femke deed onmiddellijk open. Ze nam hem kritisch op. 'Wat zie je er bespottelijk uit', vaarde ze tegen hem uit. 'Die broek is veel te kort. Zo kun je onmogelijk naar de crematie.' Benders keek naar beneden. De pijpen waren inderdaad wat

aan de hoge kant. 'Ik had niets anders', verdedigde hij zich.
'Kom nu maar.'
'Hoe laat moet je daar zijn?'
'De crematie is om twaalf uur.'
'Sluit je auto dan maar af. Het is hiervandaan tien minuten
lopen naar de stad. Je moet echt iets anders aan.'
Benders zuchtte, maar sloot zijn auto af.

Na een halfuur reden ze richting Rotterdam. Femke praatte
honderduit.
Benders overschreed de maximumsnelheid. Hij maakte zich
zorgen dat hij niet op tijd zou komen, maar was tevreden over
het donkerbruine kostuum dat Femke hem had geadviseerd.
'Rijd niet zo idioot hard, pa, we redden het makkelijk.'
Benders keek in zijn spiegel. Hij voegde in naar rechts en keek
opzij naar zijn dochter.
'Ik ben blij dat je mee bent', zei hij. 'Ik zag er enorm tegenop.'
'Ik dacht dat jij wel wat gewend was. Als politieman.'
Benders schudde zijn hoofd. 'Dit is anders', zei hij. 'Dit komt
te dichtbij.'
Femke legde een hand op de knie van haar vader. 'Geef je nog
steeds om Nikka?'
Benders dacht na over een antwoord. Hij had moeite met de
directheid van zijn dochter. Soms dacht hij wel eens hoe het
mogelijk was dat Femke zijn kind was. In alles verschilde hij
van haar. Of het moest hun beider koppigheid zijn.
'Ik beschouw Nikka als een goeie vriendin', zei hij ten slotte.
'Ze is iemand die wat betekent in mijn leven.'
'Je geeft dus nog om haar?'
'Ja.'
'Doe daar dan wat mee, sukkel. Of wil je de rest van je leven
alleen in dat appartementje zitten kniezen. Wist je trouwens
dat mam een vriend heeft?'

Benders hapte naar adem. Hij gaf richting aan om een vracht-
wagen te passeren en keek zijn dochter verbaasd aan.'Sinds
wanneer is dat?', vroeg hij verward.

'Wist je het echt niet?'

'Nee!!', antwoordde hij harder dan zijn bedoeling was. 'Sinds
wanneer?'

'Nou, zeg. Wind je niet zo op. Sinds een paar weken. Het is
een leuke vent. Echt wat voor mam.'

Benders voelde een steek in zijn maag. Hij reed weer naar de
rechterrijstrook en probeerde zijn kalmte te hervinden.

'Ben je jaloers?'

'Onzin', loog Benders. 'Je overvalt me hier gewoon mee.'

Ze reden zwijgend verder. Benders probeerde te begrijpen waarom hij zich zo opwond over het feit dat Eline een vriend had.
Nog geen seconde had hij eraan gedacht dat dit kon staan te
gebeuren. Stom natuurlijk. Eline was nog steeds een prachti-
ge vrouw.

Ze reden Rotterdam in. Benders vroeg Femke de stadsplatte-
grond uit het dashboardkastje te pakken en die voor hem uit
te vouwen.

'We moeten in Crooswijk zijn', zei hij wijzend op de plek waar
deze deelgemeente van Rotterdam zich bevond. Daarna gaf
hij haar de rouwkaart voor het juiste adres.

'Ze leek sprekend op haar moeder', zei Femke wijzend naar
de foto.

Benders beaamde dat. Hij herinnerde zich de foto op de vensterbank bij Nikka thuis, waar de gelijkenis tussen moeder en
dochter hem toen ook al had getroffen.

'Vind jij dat ik ook op mam lijk?'

Benders schudde zijn hoofd. 'Joris lijkt op Eline', zei hij. 'Jij
lijkt meer op mij.'

'Grappig.'

'Wat is daar zo grappig aan?'

'Gewoon. Je verwacht eerder dat een dochter op haar moeder

lijkt en een zoon op zijn vader. Maar bij ons is dat precies andersom.'

Benders dacht over deze woorden na. Plotseling stond hij boven op zijn rem. Achter hem werd er luid geclaxonneerd.

Femke keek hem stomverbaasd aan. 'Wat doe jij nou, pa?', vroeg ze verbouwereerd.

Benders reageerde niet. Hij negeerde de opgestoken middelvinger van de passerende automobilist die hem zojuist ternauwernood had kunnen ontwijken en belde het bureau. Paula nam op. Hij vroeg haar om Kootstra.

'Je treft het', zei Paula. 'Hij komt net binnen.'

Een ogenblik later had hij de Fries aan de lijn. en vroeg of het ook mogelijk was de oorspronkelijke foto van Elena zo te simuleren dat er een mannelijke variant ontstond van veertig jaar ouder.

'Je bedoelt zoals ze eruit zou zien als een man op zestigjarige leeftijd?'

Benders hoorde zijn verbazing.'Ja,' antwoordde hij, 'dat bedoel ik.'

'Ik zal kijken, maar wat wil je daar in godsnaam mee?'

'Dat leg ik je vanavond wel uit. Doe nou maar wat ik je vraag.'

Benders wilde de verbinding verbreken, maar Kootstra zei dat Paula nog een boodschap voor hem had.

'Er is vanuit IJmuiden naar jou geïnformeerd', zei Paula een moment later. 'Die vrouw had al eerder geprobeerd je te bereiken, maar volgens haar nam je niet op.'

'Had die vrouw nog een naam?'

'Ze stelde zich voor als mevrouw Braam en vroeg me of ik aan jou door wilde geven dat *hij* bij Krista is.

'Dat *hij* bij Krista is', herhaalde Benders stom.

'Ja, volgens die vrouw weet jij wel wie ze daarmee bedoelt.'

Benders zag Femke ongeduldig op haar horloge wijzen en dacht koortsachtig na.

'Wat heeft mevrouw Braam nog meer gezegd?'

'Ze vroeg of jij zo spoedig mogelijk contact met haar wilde opnemen.'

'Hoe laat belde ze?'

'Tien minuten geleden'

'Waarom heb je dan zolang gewacht?'

'Ik dacht dat jij wel wat anders aan je hoofd hebt', antwoordde Paula.

Benders hoorde haar verontwaardiging. 'Oké,' zei hij, 'dan is dat uitgelegd. Ik ga nu hangen.'

Femke keek hem boos aan. 'Als jij nog op tijd wilt komen, moeten we nu wel gaan rijden', beet ze hem toe.

Benders knikte. 'Wil jij het stuur overnemen?', vroeg hij gehaast. 'Ik moet nog een telefoontje doen.'

Femke schudde met een veelzeggende blik haar hoofd en stapte uit. 'Ik begin mama steeds beter te begrijpen', zei ze, terwijl ze wegreed. 'Je bent echt onmogelijk.'

Benders reageerde niet, maar toetste het nummer in van Conny. De schrijfster nam onmiddellijk op.

'Klopt het dat de zoon van Elena bij Krista is?'

'Waarom bel je zo laat terug?'

Benders hoorde haar verwijt en schetste in het kort de situatie. 'Maar klopt het?'

'Ja. De dochter van Krista belde mij een kwartier geleden op. Ze was bij de kapper geweest, toen ze terugkwam zat hij in de kamer.'

Benders vloekte. Hij verweet zichzelf dit niet te hebben voorzien.

Inmiddels reed Femke de parkeerplaats op van begraafplaats Crooswijk. Ze gebood haar vader de verbinding te verbreken. Toen ze uitstapten was de wind in kracht afgenomen en scheen de zon uitbundig.

Nikka was ontroerend mooi. Benders liep op haar af. Tijdens zijn poging haar te troosten had ze haar arm op zijn schouder gelegd. 'Lief dat je gekomen bent', zei ze.

Benders slikte. 'Dit is wel het minste dat ik voor je kan doen', zei hij. Toen nam hij haar apart en legde haar uit waarmee hij worstelde.

'Als ik niet snel handel, kan dat fatale gevolgen hebben', excuseerde hij zich.

Nikka knikte. 'Ik begrijp het, Frank', zei ze kalm. 'Ga maar. Ik leg het Femke wel uit. Maar beloof me dat je terugkomt.'

Benders beloofde dat en spoedde zich naar de uitgang. 'Ik hou van je', hoorde hij zichzelf zeggen.

*

Eenmaal op weg pakte hij zijn telefoon . Er was een bericht van Kootstra. De simulatie waar hij zo-even om had gevraagd was gereed.

Benders bekeek de foto op het beeldscherm en zag dat hij het bij het juiste eind had. Onmiddellijk belde hij het bureau en beval Kootstra om met Paula zo snel mogelijk naar IJmuiden te rijden.

'Vraag Teulings of hij bij kentekenregistratie informeert naar het kenteken van Van der Mey.'

'Bedoel je dokter Van der Mey?'

'Ja.'

'Maar denk je……….?'

'Geen vragen! Doe wat ik je opdraag en kom zo snel mogelijk. We hebben geen seconde te verliezen.'

Na Kootstra geïnstrueerd te hebben, verbrak hij de verbinding. Meteen daarna belde hij Conny. 'Sorry, dat ik zo abrupt de verbinding moest verbreken', zei hij. 'Weet jij of hij er nog is?'

'Ik heb niets meer gehoord', antwoordde de schrijfster. 'Wil je dat ik bel?'

'Nee, doe dat niet. Hij moet zich volkomen veilig voelen. Ik wilde je vragen erheen te gaan.'

'Erheen te gaan?'

Benders hoorde haar verbazing. 'Ja, maar als je dat niet wilt, moet je het gewoon zeggen.'

In de stilte die volgde, vroeg Benders zich af of hij met zijn verzoek niet teveel buiten zijn boekje ging. Maar hij kon niet anders. Het was de enige mogelijkheid. Nu zijn collega's uit IJmuiden inzetten zou te omslachtig worden.

'Wat moet ik doen?'

'Er zijn collega's van mij onderweg', zei hij. 'Ik verwacht ze daar over veertig minuten. Het enige dat ik van jou vraag, is daar tot die tijd te posten. Zodra je hem naar buiten ziet komen, neem je contact op. Meer niet. Geen achtervolging!!'

'Ik ben al weg.'

Benders haalde opgelucht adem. Hij trapte het gaspedaal naar beneden en wenste God dat de vogel nog niet was gevlogen.

John maakte een lichte buiging naar de vrouw in de deuropening. 'Ik ben de zoon van Elena', zei hij. 'Een poosje geleden belde ik u op om te vertellen dat ze was overleden. Ik zou graag met u nog even over haar willen praten. Als dat niet teveel is gevraagd.'

Hij keek de vrouw verwachtingsvol aan. Voor haar leeftijd oogde ze zeer vitaal. Ze had heldere ogen en in haar blik vond hij iets van ontroering.

'Je lijkt op haar', zei ze. 'Ik heet Krista. Kom er maar in.'

Hij geloofde zijn eigen oren niet. Ze ging hem voor naar een ruimte die het best viel te omschrijven als een eetkeuken. Ze verzocht hem plaats te nemen aan een houten tafel en bood hem iets te drinken aan.

John schudde zijn hoofd. 'Doet u geen moeite', zei hij. 'Ik zal niet lang blijven.'

Achter zich hoorde hij een deur opengaan. In een aangrenzende ruimte tussen twee schuifdeuren zag hij een vrouw staan. John stond geschrokken op.

'Wie is dat moeder?', hoorde hij haar vragen. Ze zag eruit alsof ze zojuist van de kapper was teruggekomen.

John liep op haar toe en stelde zich voor. De vrouw negeerde zijn uitgestoken hand en liep naar Krista. Aan haar gezicht kon hij zien dat ze zijn bezoek niet op prijs stelde. De vrouwen fluisterden tegen elkaar. Hij kon niet horen wat er werd gezegd, maar vermoedde dat de dochter haar moeder verweet hem te hebben binnengelaten.

'U blijft hier niet langer dan twintig minuten', gebood de dochter een ogenblik later.

John zegde toe zich daaraan te houden en wachtte tot ze door de schuifdeuren was vertrokken. Daarna nam hij weer plaats aan de tafel. Hij keek op zijn horloge. Hij zou hier geen twintig minuten blijven. Hooguit tien. Het risico dat de politie werd gewaarschuwd was niet ondenkbaar.

Krista kwam tegenover hem zitten. 'Je moeder was een moedige vrouw', begon ze zonder aansporing. 'Ik heb me vaak verweten dat ik haar heb overgehaald zich bij onze verzetsgroep aan te sluiten. Maar dat kan ik nu eenmaal niet meer terugdraaien.'

Hij gaf de vrouw een tissue. 'U hoeft zichzelf niets te verwijten', troostte hij. 'Tenslotte hebt u altijd in haar onschuld geloofd.'

Krista liet de papieren zakdoek ongemoeid en draaide met haar wijsvingers in haar ooghoeken. Daarna schudde ze haar hoofd. 'Hoe kon ze ook iets met een Duitse soldaat beginnen', zei ze. 'Dat was natuurlijk vragen om moeilijkheden.'

'Het was pure liefde.'

Krista glimlachte meewarig 'Kalverliefde', corrigeerde ze. 'Niet meer dan dat.'

Hij merkte dat hij zich ergerde aan de laatdunkende toon van de vrouw. Alsof ze de liefde die zijn moeder voor zijn vader koesterde niet serieus nam.

'Hebt u Ernst Dittrich gekend?'

'Niet goed genoeg om je te vertellen wat voor een man hij precies is geweest. Het was een gewone soldaat.'

'Toch heeft deze gewone soldaat ervoor gezorgd dat de leider van jullie verzetsgroep werd ontmaskerd.'

De vrouw keek hem bevreemd aan. 'Ik begrijp, denk ik, niet wat je bedoelt', zei ze.

John begon zich ongemakkelijk te voelen. De stroefheid van het gesprek begon hem tegen te staan. Om haar duidelijk te maken wat hij bedoelde, besloot hij de fragmenten uit Elena's dagboek te citeren.

Krista luisterde aandachtig, maar nadat hij was uitverteld schudde ze haar hoofd. 'Dat waren geruchten', zei ze beslist. 'Het is nooit bewezen.'

Hij staarde haar verbluft aan. 'U wilt toch niet beweren….?'
'Nee', onderbrak ze hard. 'Ik zeg niet dat Elena dit allemaal
heeft verzonnen. Ik zei al eerder: Elena was onschuldig. Haar
werk als koerierster deed ze uitstekend. Ze was dapper, maar,
vergeef me dat ik het zeg, ze was ook naïef. Wat Dittrich beweerde waren geruchten. Geruchten die ons al langer bekend waren,
maar waar niemand ooit een vinger achter heeft kunnen krijgen. Elena was blind van verliefdheid. Ze geloofde onvoor-
waardelijk in wat Dittrich haar vertelde.'
John verstijfde. 'U liegt!!', riep hij hard. 'Van Dronkenoord
was een verrader. Een verrader en een moordenaar.'
Krista stond op van haar stoel. Ze keek hem vorsend aan. 'Het
was oorlog', zei ze fel. 'In een oorlog gelden andere wetten.
Jouw vader was een harde man. Keihard. Maar noem hem geen
verrader. Noem hem geen moordenaar. Jij hebt je bestaan aan
hem te danken. Hij spaarde het leven van je moeder en ris-
keerde daarmee zijn eigen leven. Uit liefde voor haar. Voor
Elena….'
John greep zich vast aan de tafel. Het duizelde hem. Hij probeerde op te staan, maar merkte dat dat niet lukte. Als ver-
doofd staarde hij Krista aan. Ze was weer gaan zitten. Ze praatte tegen hem, maar hij hoorde niet meer wat ze zei. Hij voelde zich misselijk worden. Alles om hem heen begon te draai-
en en ineens werd alles donker. Alsof de nacht hem plotseling
had overvallen.

'Zijn vader vermoord?'

Kootstra knikte. 'Dokter van der Mey heeft zojuist een volledige bekentenis afgelegd', zei hij beslist.

Benders keek zijn jonge collega ontzet aan. 'Hoe zeker is dat Van Dronkenoord zijn vader was?'

'Vrij zeker', antwoordde Kootstra beslist. 'We hebben een gesprek gehad met Krista Selinger. Zij was daar heel duidelijk over. Vóór Elena een verhouding begon met Dittrich was ze al in verwachting van Van Dronkenoord. Krista verklaarde dat Van Dronkenoord haar dat in vertrouwen had verteld.'

'Godallemachtig.'

Kootstra keek naar Paula. 'Iets dergelijks zeiden wij ook,' zei hij zuchtend, 'maar vertel ons nu eens waarom jij plotseling aan dokter Van der Mey als dader dacht.'

Benders ging ervoor zitten. 'Eigenlijk verwijt ik me nu dat ik niet eerder aan hem heb gedacht', bekende hij eerlijk. 'Van der Mey had mij al eerder laten weten dat hij zich twee jaar geleden hier in Westerhout als huisarts vestigde. Toen al hadden bij mij de alarmbellen moeten gaan rinkelen. Maar om de een of andere reden deden ze dat niet.'

'Wanneer gebeurde dat dan wel?', vroeg Kootstra ongeduldig.

Benders vertelde over zijn gesprek met Femke. Over hoe ze het hadden gehad over de gelijkenis van Joris en Eline.

'Pas toen drong tot me door wat ik al die tijd heb gezien', zei Benders. 'De gelijkenis van Van der Mey en de vrouw op de foto. Dezelfde ogen. Dezelfde mond. Het werd ineens zo duidelijk, dat ik niet kon begrijpen het niet eerder door te hebben gehad.'

Kootstra knikte. Hij toonde op de monitor nogmaals de simulatie. De gelijkenis was treffend.

'Weet je dat hij Marlies ook heeft vermoord?', vroeg hij wijzend op het scherm.

Benders schudde zijn hoofd. 'Weten niet', antwoordde hij. 'Maar het verbaast me niet.'

'Van der Mey vertelde ons dat Marlies dingen begon te vermoeden', zei Kootstra. 'Hun band was zo vertrouwelijk dat hij zich tegenover haar een keer had laten ontvallen dat hij Van Dronkenoord wel zou kunnen vermoorden.'

'Dus dwong hij Marlies een overdosis antidepressiva te slikken?'

Kootstra knikte. 'Bizar genoeg is het inderdaad zo gegaan', antwoordde hij.

Benders stond op van zijn stoel. Hij dacht aan Marlies, aan Tom en aan Ilse. Aan de drie volstrekt zinloze moorden. Maar joeg de beelden onmiddellijk weer uit zijn hoofd..

'Ik moet nu gaan', zei hij gehaast. 'Er wacht iemand op me.'

***

Uit het crime-fonds van Uitgeverij Ellessy:

De nacht van de wolf, Sandra Berg (2002)
Onder de oppervlakte, Sandra Berg (2004)
Nephila's netwerk, Marelle Boersma (2005)
Stil water, Marelle Boersma (2006)
Roerend goed, Ina Bouman (2004)
Bij verstek veroordeeld, M.P.O. Books (2004)
De bloedzuiger, M.P.O. Books (2005)
Gedragen haat, M.P.O. Books (2006)
Jacht op de Jager, John Brosens (2004)
Duijkers dossiers, John Brosens (2005)
Zwart fortuin, John Brosens (2006)
Superjacht, James Defares (2004)
De beloning, James Defares (2006)
Het rode spoor, Ivo A. Dekoning (2001)
Perzikman, Frans van Duijn (2002)
Engel, Frans van Duijn (2003)
Maniak, Frans van Duijn (2004)
Eigen richting, Jan van Hout (1997)
In andermans huid, Jan van Hout (2000)
Dummy, Jan van Hout (2001)
Frontstore, Jan van Hout (2003)
Coke en gladiolen, Will Jansen (2001)
Het teken van de uil, Berend Jager (2005)
Vanwege de hond, Tom Kamlag (2004)
Het witte paard, Tom Kamlag (2006)
Blog, Tom Kamlag (2006)
Bloed op het Binnenhof, Martin Koomen (2004)
Kleine koude oorlog, Martin Koomen (2006)
De connectie, Jan Kremer (1997)
De ingreep, Jan Kremer (1999)
De misleiding, Jan Kremer (2003)
Leugens!, Guido van der Kroef (1999)
Waanzin!, Guido van der Kroef (2000)
Hebzucht!, Guido van der Kroef (2001)
Moordlied, Guido van der Kroef (2002)

Het uur Z, Guido van der Kroef (2004)
A Hell of a Day, Guido van der Kroef (2006)
Kobuk, Jorge Madera (2007)
Het lied van de lijster, Gerard Nanne (2002)
Moederdier, Gerard Nanne (2003)
De reigerman, Gerard Nanne (2004)
Zonder spijt, Gerard Nanne (2005)
De poldermoorden, Gerard Nanne (2006)
Eindhalte Hamdorff, P.J. Ronner (2002)
Schoon schip, Gerry Sajet (1999)
Laatste trein, Gerry Sajet (2001)
Zand erover, Gerry Sajet (2002)
Troebel water, Gerry Sajet (2003)
Gelijke munt, Gerry Sajet (2005)
Blind toeval, Gerry Sajet (2007)
Glad ijs, Willemien Spook (2000)
Basuko, Herman Vemde (2001)
Sarin, Herman Vemde (2002)
Oranjebom, Herman Vemde (2004)
Harry's dubbelspel, Herman Vemde (2005)
Tequila sunrise, Herman Vemde (2007)
Het hoofd, Jacob Vis (1994)
De bidsprinkhaan, Jacob Vis (1994)
De infiltrant, Jacob Vis (1995)
De Jacobijnen, Jacob Vis (1997)
Wetland, Jacob Vis (1998)
Morren, Jacob Vis (2001)
Brains, Jacob Vis (2002)
De muur, Jacob Vis (2003)
Barabbas, Jacob Vis (2004)
"Wij...", Jacob Vis (2005)
"Het rijk van de bok", Jacob Vis (2007)
Moeders mooiste, Anne Winkels (2002)
Deadline, Anne Winkels (2006)
Ongeluk, Agathe Wurth (2005)
De Maasmoorden, Agathe Wurth (2007)